Génération Y

Du même auteur

Génération Y (première édition),
Les Éditions Logiques, 2005

Être soi dans un monde difficile,
Les Éditions de l'Homme, 2005

Enfant-roi (réédition),
Les Éditions Logiques, 2004

Changez d'attitude (réédition),
Les Éditions Logiques, 2003

Carol Allain

Génération Y

Qui sont-ils, comment les aborder ?

Un regard sur le choc

des générations

2e édition

Les Éditions
LOGIQUES
Une compagnie de Quebecor Media

Catalogage avant publication de Bibliothèque et Archives nationales du Québec et Bibliothèque et Archives Canada

Allain, Carol, 1961-

Génération Y : qui sont-ils? comment les aborder? : un regard sur le choc des générations
Réédition rev. et augm.

Comprend des réf. bibliogr.

ISBN 978-2-89381-971-6

1. Génération Internet. 2. Jeunes adultes. 3. Relations entre générations. 4. Parents et enfants adultes. I. Titre.

HQ799.5.A44 2008   305.242   C2008-940315-0

Édition : Martin Balthazar
Révision linguistique : Emmanuel Dalmenesche
Correction d'épreuves : Yvan Dupuis
Couverture : Axel Perez de León
Infographie et mise en pages : Mélanie Huberdeau
Photo de l'auteur : © Groupe Librex

Remerciements
Les Éditions Logiques reconnaissent l'aide financière du gouvernement du Canada par l'entremise du Programme d'aide au développement de l'industrie de l'édition (PADIÉ) pour ses activités d'édition. Nous remercions le Conseil des Arts du Canada et la Société de développement des entreprises culturelles du Québec (SODEC) du soutien accordé à notre programme de publication. Gouvernement du Québec – Programme de crédit d'impôt pour l'édition de livres – gestion SODEC.

© Les Éditions Logiques, 2008

Les Éditions Logiques
Groupe Librex inc.
Une compagnie de Quebecor Media
La Tourelle
1055, boul. René-Lévesque Est
Bureau 800
Montréal (Québec) H2L 4S5
Téléphone : 514 849-5259 Télécopieur : 514 849-1388

Dépôt légal – Bibliothèque et Archives nationales du Québec et Bibliothèque et Archives Canada, 2008

ISBN 978-2-89381-971-6

Distribution au Canada
Messageries ADP
2315, rue de la Province
Longueuil (Québec) J4G 1G4
Téléphone : 450 640-1234
Sans frais : 1 800 771-3022

Diffusion hors Canada
Interforum

À Nadia...

Aux jeunes adultes, pour demain...

C'est dit : aujourd'hui, demain, l'an prochain, bientôt, vous prendrez le grand large. Vers l'horizon exaltant d'un pays étranger, d'un emploi, peut-être voisin, pourquoi pas lointain. Ce livre, fruit d'une alliance de la recherche littéraire et de la rencontre des générations, se veut un outil complémentaire pour vous aider à saisir les opportunités, repérer les changements sur la planète, choisir le bon cap en fonction de vos talents, de vos ambitions et de vos appétits d'ailleurs. Vous y dénicherez votre lot de réflexions et d'informations pratiques et de démarches. Chaque génération tend à jouer au mieux sa partie, se désintéressant des précédentes et des suivantes. La sagesse se mesure dans les détails : ce qu'on dit et ce qu'on ne dit pas, ce qu'on fait et ce qu'on ne fait pas, ce qu'on pense et ce qu'on ne pense pas. Être à l'écoute des autres, c'est déjà se proclamer responsable d'une collectivité avec le désir, d'abord, d'apprendre de celle-ci et, ensuite, de la lire, de la critiquer, de la commenter et de l'apprécier. Que le mot « être » serve à échanger, communiquer, formuler, et non à séparer. Une nouvelle génération ne peut créer de valeurs sans se livrer à son droit – son devoir – d'inventaire éthique, moral, politique, etc. Que garder ? Et pourquoi ? Que peut-on et que doit-on détruire, dépasser, conserver, arranger, aménager ? Selon quels critères et pour quelle utilité ?

Table des matières

Avertissement

Pour cette nouvelle édition

La première édition de ce livre est parue en 2005 sous le titre *Génération Y – L'enfant-roi devenu adulte.* Depuis, de nouvelles préoccupations se sont aiguisées – contrainte d'embauche, sentiment de précarisation, conciliation travail-loisir, culte de l'immédiat, obsession de l'urgence, éternel présent, refus d'être dépaysé –, confirmant l'absolue nécessité de mener une réflexion impliquant tous les acteurs des organisations, des entreprises, des associations, sans oublier la famille. La lucidité et la concertation s'imposent, plus que jamais, pour appréhender les revendications en cours de la génération* Y. J'ai donc choisi un titre plus actuel pour cette nouvelle édition revue et augmentée : *Génération Y – Qui sont-ils, comment les aborder ?* m'apparaît en effet plus adapté à l'obligation de conscience qui nous est faite aujourd'hui.

---

* Entendons-nous sur la définition du mot « *génération* » : un groupe d'individus partageant une histoire et des valeurs communes. La durée d'une génération est, entre autres, fonction du rythme selon lequel s'effectuent les changements (loi de Moore).

Présentation

Ce livre ne prétend pas épuiser la question de la génération Y. Son propos est plutôt d'en jeter les bases, d'en définir le cadre et les perspectives.

Ce livre répond à une urgence découlant de deux caractéristiques propres à cette génération. Tout d'abord, au-delà des lieux communs auxquels on réduit souvent les jeunes adultes – revendications incessantes et loyauté vacillante –, on assiste à la trajectoire vivante du *faire savoir* qui est en fait au sommet de leurs revendications. Ensuite, les jeunes adultes perçoivent leur engagement avec une originalité radicale qu'on doit comprendre comme un message adressé à tous ceux qui désirent les côtoyer.

Pour appréhender cette génération, il faut embrasser l'ensemble des conceptions (en grande partie informulées) de ce que c'est qu'être un jeune adulte : avoir le sens de l'intériorité, de la liberté, de l'individualité, et le sentiment de n'appartenir qu'à soi-même, notions si présentes dans l'Occident moderne.

Mais je souhaitais aussi montrer comment les idéaux et les interdits de cette jeunesse – ce qu'elle met en lumière et ce qu'elle laisse dans l'ombre – invitent la communauté des adultes (parents, employeurs, société) à revoir ses manières de faire et d'être, en grande partie inconsciemment.

Les temps changent, nombre de choses que nous connaissions disparaissent. Au lieu de s'en inquiéter, pourquoi ne pas voir les avantages qu'on peut tirer de ces bouleversements ? Oui, les jeunes adultes arrivent, et des pans entiers de leur identité vont bousculer les structures actuelles.

Plusieurs des idées exposées ici sont évidemment le reflet de ma pensée personnelle à propos de la nouvelle génération. Plutôt que rédiger ce livre en suivant une direction préétablie, j'ai préféré emprunter une sorte de parcours à rebours (qui tient compte de ce que j'exposais dans mon livre *Enfant-roi*), un parcours plus éclaté reposant sur sept années d'accumulation de notes et d'ébauches.

Mon pari est de proposer des pistes de réflexion, destinées à la fois aux parents et aux employeurs des différentes organisations ou entreprises, afin de comprendre ce qui se cache derrière les pensées, voire les intentions, des jeunes adultes. Il s'agit en somme de poser un regard à la fois objectif et intuitif sur la génération Y, tout en donnant au lecteur des explications qui l'accompagneront dans sa façon d'aborder la nouvelle génération et aussi de bien saisir l'idée bien connue selon laquelle le jeune adulte fonde ses valeurs sur le Désir et la Séduction.

Cet essai a de nombreuses sources d'inspiration : les parents qui m'ont guidé dans ma réflexion ; les employeurs que ma profession de conférencier m'a permis de rencontrer et qui cherchent des explications, des options, des pistes de solutions pour mieux appréhender les revendications de cette nouvelle génération ; mais aussi, tous ces jeunes adultes croisés au hasard de la vie, qui m'ont confié leurs préoccupations, leurs destinations, leurs nombreuses virtualités.

Lorsque cela a été possible, tout en respectant scrupuleusement les travaux qui m'ont inspiré, j'ai volontairement gommé certaines références qui auraient pu et, peut-être, dû ponctuer plus systématiquement cet essai. Si j'ai agi ainsi, c'est afin de préserver un certain équilibre entre l'exigence de clarté – ne pas alourdir inutilement mon propos – et le respect que je voue aux auteurs qui ont éveillé mon admiration et mon estime.

Certains chapitres ont déjà été mesurés à l'aune du public à travers des conférences ou des publications dans des revues. Je veux dire ici à quel point ces bancs d'essai ont été profitables. Dans tous les cas, j'ai retouché les textes en question après les avoir relus – l'effet de distanciation, entres autres, devenant l'élément moteur d'une réécriture un rien plus objective. Parfaire son texte et tirer profit d'une démarche assumée de réécriture sont d'ailleurs deux des exigences essentielles que tout écrivain doit s'imposer.

Je tiens enfin à mentionner le rôle capital qu'ont joué mes conférences et les personnes qu'elles m'ont donné la chance de côtoyer. Cela a non seulement stimulé, poussé, remis en question ma réflexion, mais cela l'a également rendue possible, ni plus ni moins, en marge de circonstances professionnelles et personnelles qui ne facilitaient pas toujours son déploiement. Dans ces rencontres, j'ai trouvé un terreau très favorable à la croissance de ma propre rigueur, de ma propre éthique et même de ma propre « morale de l'écriture ». De surcroît, j'ai ainsi connu des gens aux prises avec des interrogations souvent différentes des miennes et qui sont eux aussi préoccupés par des questions d'une signifiance à peu près absolue, auxquelles toute leur vie était vouée et l'est encore.

C'est un cliché de le dire, mais je le crois sincèrement : si un seul lecteur déniche dans cet essai un
mot qui amorcera sa propre réflexion ou la facilitera,
tout le livre s'en trouvera justifié à mes yeux. Dans le
meilleur des cas, le cas rêvé, cet essai fera naître le
plaisir de remettre en question ses certitudes.

L'occasion est donc de nouveau donnée de
vérifier qu'on ne peut accéder à la pensée de l'autre
qu'en retravaillant la sienne. Pour reprendre les propos de Georges Bataille : « Chaque livre est aussi la
somme des malentendus dont il est l'occasion. »

Il y a un flottement concernant le découpage
des générations depuis la Seconde Guerre mondiale.
L'auteur a pris un parti qui lui semblait cohérent en
tenant compte des diversités socio-culturelles de différents pays (France, Canada, États-Unis).

Introduction

Ils sont indépendants d'esprit, balaient tout ce qui est ancien du revers de la main et disent merde à leurs parents, et par la même occasion à leurs futurs employeurs. Ça devait arriver. On les croit éteints, puérils et individualistes. Les jeunes adultes seraient-ils incultes et sans repères ? Non, ce n'est pas si simple. Nombre d'entre eux sont ouverts d'esprit et bien informés, mais condamnés à vivre dans l'ombre de leurs parents glorieux. Et voilà que ceux qu'on continue de désigner comme la « génération *Yo* », la « génération *full cool* » ou la « génération *absente* » bavardent de politesse et d'autodérision avant de sortir les griffes. Les « 20 ans » se réveillent, et ils sont bien décidés à huer père et mère, à défaut d'avoir voulu les déboulonner.

Voici l'étiquette qu'on a apposée sur la génération Y. Pour tous, parent, employeur, voire la société, il est difficile de lui dire non. Elle est plus détestable encore que la génération précédente. Et quelles que soient leurs demandes et leurs exigences, on ne refuserait rien à ces jeunes adultes contestataires. Mais déjà cette idée vole en éclats, car c'est le contraire qui se profile : toute la société des baby-boomers hausse le ton et campe sur ses positions.

On ne saurait résumer ici tout le parcours que doivent suivre ces jeunes adultes, un parcours marqué à la fois par les apparences, de nombreuses

21

escapades et autres exagérations de leurs pairs. Au bout de l'aventure, il y a l'ère de la «surabondance»; le jeune adulte, un peu dépassé, s'abandonne aux plaisirs et s'évade dans le monde des apparences. S'il veut éviter le dérapage, il est certes utile de recourir à la pensée puisqu'elle aide à dépasser les biens matériels et sert ainsi la cause de l'innovation intellectuelle. Mais, là encore, le jeune adulte peut revêtir successivement les deux costumes: il peut rêver d'une société qui conjuguerait avoir et être, et la composer à la manière d'un artiste, telle une société régie par un traité de la méthode. En somme, le jeune adulte est à la fois l'action et l'imagination. Et comme l'imagination va très loin, l'action est obligée de faire de la surenchère pour suivre le rythme. ·

Toute réflexion sur la «génération millénaire», comporte trois opérations: d'abord, la *comparaison*, qui consiste à mettre en relation et parfois en compétition les éléments d'un ou de plusieurs systèmes de pensée; ensuite, la *transmission*, qui sert à montrer la trajectoire des héritages (parentaux et sociétaux) influençant le cadre de référence qui servira plus tard de guide aux jeunes adultes; et, enfin, la *création*, c'est-à-dire le lieu où s'affrontent – sans s'annuler – la conservation et le mouvement.

Je pourrais en faire le préambule de ce livre, qui est né à la fois d'une inquiétude devant ce qui ressemble à une rupture des générations et d'une révolte devant l'aveuglement qu'on lui oppose en guise de rempart. Je suis optimiste – de gauche, sans doute, du moins dans l'acception la plus émancipatrice du terme –, mais optimiste malgré tout, ou peut-être grâce à cela. Je ne fais pas partie de ces conservateurs pour qui un peu d'autorité ne fait pas de mal et qui pensent qu'après tout, mon Dieu, c'est vrai que les valeurs foutent le camp. Non. Je suis de ceux qui

22

emploient des expressions telles que : accueillir la différence, privilégier l'originalité des approches, être attentif à l'autre, penser autrement, faire différemment, apprendre à savoir dire non, abandonner le confort rassurant des habitudes. Autant d'expressions si chères à la nouvelle génération, mais à la fois si éloignées dans leur pratique, du moins pour l'instant.

Je tiens à « réagir » contre ceux qui, depuis peu, luttent dans le camp du Bien et de la rigueur, ceux pour qui il ne fait aucun doute qu'il faut vénérer l'avenir sans aucune référence à la réalité. Autrement dit, je me permets, comme beaucoup d'autres, heureusement, de me poser parfois la question de l'apport de la nouvelle génération dans la société d'aujourd'hui et celle de demain.

Vivre dans l'instant est la passion dominante – vivre pour soi-même, et non pour ses ancêtres ou la postérité. Nous sommes en train de perdre le sens de la continuité historique, le sens d'appartenir à une succession de générations qui, nées dans le passé, s'étendent vers le futur.

Nous vivons dans un monde où on joue à cache-cache avec la réalité, un monde où il est, pour ainsi dire, devenu inutile de se demander qui dit vrai et qui dit faux. Tout est question de stratégie. La globalisation des technologies de la communication a eu cet effet pervers qu'on se doit désormais de dire beaucoup de choses, mais surtout de ne pas dire ce que l'on pense ! Un phénomène qu'on pourrait bien nommer la « stragédie ». Mais les jeunes adultes ont compris que l'insolence du mensonge s'est répandue dans toutes les voies de la vie quotidienne. Et, je le crois sincèrement, ils nous donneront une leçon : dire tout haut ce qu'on pense tout bas.

Les pages qui suivent traitent de la génération Y en tenant compte des recommandations qu'elle formule, c'est-à-dire avoir le choix de conserver toutes les options possibles, recréer, opérer un virage dans les approches. Recommandations auxquelles j'ajoute cette exigence personnelle : présenter cette génération non seulement dans son individualité grandissante, mais en gardant aussi à l'esprit le souci de la collectivité et les rapports forcés qu'elle entretient avec les générations précédentes et suivantes.

Le corps de cet ouvrage, du premier au septième chapitre, est consacré à cette description du développement de l'identité de la nouvelle génération. Il offre aussi l'occasion de mieux identifier les générations et leurs différences, voire leurs ressemblances. Cependant, depuis que j'ai écrit *Enfant-roi* (Logiques, 2001, 2004), je revisite les liens entre les concepts du moi et les visions morales, entre l'identité et la rigueur, entre le doute et la certitude, je ne pouvais donc pas me lancer dans cette étude sans avoir au préalable discuté de ces liens.

Par conséquent, cet ouvrage revu et enrichi s'ouvre désormais par un chapitre qui présente très brièvement la relation entre le moi et la morale sur laquelle je m'appuie par la suite. Avec la venue de la « génération millénaire », presque tout va changer dans les idées et les sentiments, dans les habitudes et les réalités, dans les limites et les apparences. C'est un monde nouveau qui commence. Le statu quo, le mot d'ordre et la gloire des générations précédentes, n'est plus qu'un souvenir. Quand la nouvelle génération s'observe, elle s'interroge. Quand elle se compare, elle se rassure.

Au cours des dix dernières années, nous avons eu du mal à comprendre les jeunes adultes et à les définir, et cette difficulté continue de nous inquiéter.

La nouvelle génération se caractérise par la rapidité, l'instabilité et la précarité propres à son époque : il ne fait aucun doute qu'elle aura des répercussions considérables sur le fonctionnement des entreprises, voire de la société.

L'atmosphère actuelle n'est pas religieuse mais thérapeutique. Ce que les gens cherchent avec ardeur aujourd'hui, ce n'est pas le salut personnel, encore moins le retour d'un âge d'or antérieur, mais la santé, la sécurité psychique, l'impression, l'illusion momentanée d'un bien-être personnel. Le jeune adulte est hanté non pas par la culpabilité mais par l'anxiété. Il ne cherche pas à imposer ses propres certitudes aux autres ; il cherche un sens à la vie. Libéré des superstitions du passé, il en arrive à douter de la réalité de sa propre existence. Il se trouve également privé de la sécurité que donne la loyauté du groupe et se sent en compétition avec tout le monde pour l'obtention des faveurs que dispensent le noyau familial ou le monde du travail. Il se montre ardemment compétitif quand il réclame approbation et acclamation, mais il se méfie de la compétition car il l'associe inconsciemment à une impulsion irrépressible de destruction. Il prône la coopération et le travail en équipe tout en nourrissant des impulsions profondément antisociales. Il exalte le respect des règlements, secrètement convaincu qu'ils ne s'appliquent pas à lui. Avide, dans la mesure où ses appétits sont sans limites, il n'accumule pas les biens et la richesse à la manière de la génération des baby-boomers âpre au gain de l'économie et l'accumulation d'accessoires, mais il exige une gratification immédiate et vit dans un état de désir inquiet et perpétuellement inassouvi.

Le jeune adulte a besoin des autres pour s'estimer lui-même ; il ne peut vivre sans un public qui l'admire. Son émancipation apparente des liens familiaux et des contraintes institutionnelles ne lui apporte pas, pour autant, la liberté d'être autonome et de se complaire dans son individualité. Elle contribue, au contraire, à l'insécurité qu'il ne peut maîtriser qu'en voyant son «moi grandiose» reflété dans l'attention que lui porte autrui, ou qu'en s'attachant à ceux qui irradient la célébrité, la puissance et le charisme. Pour le jeune adulte, le monde est un miroir.

Nous devons saisir, je pense, la combinaison unique de découverte et de diversité, de grandeur et d'originalité, qui caractérise la génération Y. Pour appréhender l'identité de ces jeunes adultes dans toute sa richesse et toute sa complexité, nous devons d'abord percevoir à quel point ils nous interpellent, en dépit de tous nos efforts pour les écouter, puis nous rendre compte combien sont superficiels et partiels les jugements simplistes que nous tenons les uns et les autres à leur propos.

Par leur goût des liens inédits, les jeunes adultes ont aussi une dimension d'artistes, en quoi ils se différencient plus radicalement encore des adultes des générations précédentes. Ils s'intéressent à ce qui leur est moins familier. Ce sont des découvreurs. Leur univers n'est jamais clos, mais susceptible de s'ouvrir sans cesse à des combinaisons inattendues.

Faire surgir d'un essai une réflexion significative pour en user dans nos discours représente le défi pour lequel je me suis engagé. Comme si la formation d'une phrase originale et que l'on croit nouvelle, engendrait quelque crainte et obligeait, pour parler, à s'appuyer sur du déjà dit. Depuis l'allusion discrète, déformée ou sollicitée, jusqu'aux emprunts systématiques, la nouvelle génération assure matériellement cette circulation du sens que la critique des générations précédentes a nommé permissivité. Une telle

26

affirmation peut sembler bien extravagante. Voilà le mot déclencheur, la clef de l'énigme de la génération Y. Pour sortir de la *permissivité*, il est nécessaire de bien comprendre comment nous y sommes entrés et *pourquoi nous l'avons fait avec un tel enthousiasme*. Souvenons-nous. C'était hier.

La nouvelle génération n'a pas toujours bonne presse. On la qualifie souvent de pédante. On voit dans son attitude une faiblesse consistant à s'abriter derrière un coupable. Mais à l'inverse, prétendre s'exprimer en son nom propre est presque aussi fou que de vouloir trouver un coupable. Pour peu qu'on fasse preuve de cette sagesse véritable qu'est la modestie, on peut cependant parler en son nom propre tout en citant les autres avec habileté. Et pour donner l'exemple, j'emprunte cette phrase à Montaigne : « Car je fais dire aux autres ce que je ne puis si bien dire, tantôt par faiblesse de mon langage, tantôt par faiblesse de mon sens. »

Heureuse leçon d'attitude. Mais il en faudra d'autres pour redonner aux jeunes adultes confiance en cette « maison commune » inachevée et dont les portes et les fenêtres claquent au vent.

Chapitre I

Regarde-moi devenir moi!

« J'éprouve un charme inexprimable à marcher en aveugle au-devant de ce que je crains. »

Benjamin Constant (1767-1830)

« Que l'importance soit dans ton regard, non dans la chose regardée. »

André Gide (1869-1951)

Qui sont-ils ? Comment les aborder ?

La « génération Y », qui succède à la « génération X », a vu le jour en 1979, à une époque où les mères étaient sur le marché du travail. Par la force des choses, les parents de ces enfants, pour la plupart des couples à « deux salaires et 1,3 enfant », leur ont consacré peu de temps et, trop souvent, peu d'écoute. Pour compenser, ils leur ont prodigué une abondance d'accessoires et accordé une grande permissivité. Pour l'adolescent vivant au sein d'une famille reconstituée, les biens matériels se sont souvent mis à pleuvoir en double, parfois au prix d'un léger chantage affectif. Cet adolescent a adhéré à la culture cool de ses pairs, hautement valorisée par les médias.

À tort ou à raison, les *nexters* (on les désigne aussi sous le nom de génération « millénaire », « écho », « net », « next », « why », « velos », « M.t.v. », « numérique », « citoyens du monde », « caméléon », « glucose ») sont reconnus pour ne pas exécuter d'emblée ce qu'on leur demande de faire. On les dit paresseux, peu loyaux et prêts à tout abandonner si leurs besoins ne sont pas satisfaits. Avant d'agir, ils veulent des explications, ils veulent comprendre les motifs qui se cachent derrière les directives, ils veulent savoir pourquoi.

Ils sont entrés dans une culture dite de renoncement, caractérisée par la disparition des idéologies, des repères familiaux et des valeurs. Ils ont oublié la culture qui a précédé (1950-1970), la culture de l'autorité, de l'obéissance, de la contrainte (les devoirs et les sacrifices). En janvier 2002, Françoise Giroud s'en inquiétait déjà dans un article intitulé « La jeunesse et le naufrage de l'autorité », publié dans la revue psychanalytique *Élucidation* : « La moitié de la jeunesse roule sans frein. Où va-t-elle, sinon dans le mur ? Je voudrais entendre sur ce sujet une parole simple, claire, où l'on me dirait par exemple pourquoi un enfant de 7 ans n'obéit plus à son père et bat sa mère, si cela se soigne ou constitue simplement un moment de l'évolution [...]. Ce qui importe, c'est la réaction que suscitera l'ensemble de ces comportements d'insubordination avec leur cortège de violences, de classes ingouvernables, d'adolescents décrocheurs. La réaction à cet ensemble menaçant est inévitable. »

Les parents n'ont pas su préserver certaines valeurs d'hier, ils ont cru que les restrictions mènent à la destruction. Ils se sont amusés à donner à leurs enfants, de la naissance jusqu'à l'âge adulte, tout ce qu'ils n'ont pas eu eux-mêmes. Comme le disait déjà Tocqueville : « L'avenir est devenu obscur, car le passé ne jette plus son ombre sur le présent. » En clair, les parents de la génération millénaire sont habités par la mémoire (celle de leurs parents) et mus par le projet (rajeunir le vécu). Leurs vies sont principalement gouvernées par le souvenir du manque et par l'attente. Ils sont emplis à la fois par le passé et par le futur. Mais le présent a pris toute la place en liquidant toutes les références du passé.

Ainsi, notre image du temps s'est inversée : elle ne ressemble plus à un sablier, mais à un œuf, renflé en son milieu, étroit à ses deux extrémités – le passé et le futur. La métaphore est parlante. Le passé, c'est-à-dire la *mémoire humaine*, n'a plus la même emprise, à tel point que nos sociétés sont livrées à la versatilité de l'opinion, à l'émotion changeante, à l'urgence, qui toutes trois relèvent de l'instant. Les jeunes adultes sont ainsi perpétuellement guettés par l'amnésie.

Nous nous glorifions d'habiter l'instant présent et d'y prendre enfin nos aises. Mais toute la question est de savoir si cette sacralisation du présent est sans conséquences et si ce présent réduit à lui-même est vraiment habitable. Il s'agit, semble-t-il, d'un discours sans vision, qui met l'accent sur la vie courante, la précaution, le ludique et la *contemplation* esthétique.

Le jeune adulte serait-il donc celui qui *contemple* et qui *s'adapte*, par opposition au fou qui rêve de *transformer* ? Mais s'adapter, n'est-ce point se *soumettre* ? Et jusqu'où la soumission peut-elle aller ? Être conscient, voilà ce dont il est question. Lorsque la conscience s'incarne dans une attitude, elle implique en effet un « décentrement à l'égard de soi-même » et une rencontre avec l'autre. Par essence, le jeune adulte n'est pas solitaire. Pour lui, il s'agit d'introduire dans sa pensée et, par conséquent, dans ses gestes une force de protestation contre l'état actuel des choses, plus précisément de faire une prise de conscience qui réintroduise la dimension collective de la destinée humaine. Autrement dit, cela revient à agir dans l'Histoire, à penser que le « temps mène quelque part » (Lévinas) et que le futur éclaire nécessairement le présent.

Les années 1980 ont « rectifié » le mot *être* en y ajoutant *quelqu'un* : *être quelqu'un*, c'est-à-dire réussir sa vie professionnelle au détriment de toutes les autres valeurs, telles que la tolérance, la patience, le respect et l'engagement. Quant aux années 2000, celles de l'obsession sécuritaire, de la peur de tout, des précautions infinies, elles ont transformé *être* en *être plus* : plus d'accessoires, plus d'économies, plus de loisirs, plus de conquêtes, voire plus de maladies. Tous ces *plus* indiquent et dictent une seule direction : agir pour soi. La culture qui en résulte engloutit la pensée et la remplace par la consommation effrénée, avec en prime l'exigence de l'immédiateté, du délai zéro. Les parents se lancent dans une aventure sans précédent qu'on peut résumer à cette injonction : « Oublions les enfants et maximisons les " valeurs " matérielles que sont la propriété, les accessoires, les objets rares, les grands espaces » et autres allégories. Dans la majorité des cas, les enfants issus de ces familles ignorent tout ce qui en résultera. Il faudra ici être attentif aux conséquences d'une telle attitude.

Depuis les années 1980, le monde a changé. Et les enfants aussi. Des valeurs se sont effondrées, de nouvelles sont apparues. Incapable de tenir en place, le jeune adulte propose tout de suite de partir, mais, dans la même phrase, il exprime également le dilemme devant lequel il se trouve : « … je reviendrai ». Cet âge est aussi l'âge de la création et de l'imagination. Quels sont les nouveaux fronts, les luttes à livrer en priorité ? À 20 ans, les jeunes adultes ont un rêve en commun : être unique, être pareil. Étonnant paradoxe.

La recherche de modèles

Ils ont beaucoup appris… ou plutôt beaucoup entendu. Ils sont restés à la maison pendant de longues années et en savent beaucoup sur les adultes, voire sur le monde des adultes, et, en l'occurrence, sur leurs parents. Or, en versant d'un excès à l'autre, nous avons peut-être endommagé leurs propres pensées. Ils ont en effet été témoins d'un discours qui ne leur était pas destiné. Plus encore, ils ont pénétré le monde des adultes à un âge où le jeu, le mystère, l'inattendu auraient dû occuper tout leur temps libre. Comme le dit Milan Kundera dans *La Plaisanterie* (Gallimard, 1968) : « Les jeunes, après tout, s'ils jouent, ce n'est pas leur faute ; inachevés, la vie les plante dans un monde achevé où on exige qu'ils agissent en hommes faits. »

Pour eux, l'adolescence n'existe pas. Ils n'envisagent leurs relations qu'avec les adultes, donc leurs propres parents et professeurs, et seulement dans le cadre d'un échange parfaitement équitable. Ils construisent leur vie et l'organisent comme un kaléidoscope réglable en fonction des exigences du moment. C'est cette capacité, pour ne pas dire cette stratégie permanente de l'adaptation, qui leur vaut le nom de « génération caméléon ».

Ils ont appris que le culte de la performance, un temps leur mirage, est un mythe dangereux qui libère le « je » en cas de succès, mais déclenche la rage en cas d'échec. Ils ont appris que le progrès, leur foi, était fait de méandres, que la technologie pouvait opprimer, que la prospérité pouvait être une menace pour la planète. Ils ont appris que l'égalité, leur ambition, reculait en ce bas monde comme l'horizon devant le voyageur. Ils ont appris que la civilisation était un état instable qu'une simple crise pouvait ruiner en ramenant la haine. Ils ont appris que la culture, leur religion, n'est pas un rempart contre la barbarie. Ils ont appris qu'ils doivent profiter de tout sans attendre, sans attente, sans compromis. En un mot, ils ont appris que l'Histoire se moque des lendemains qui chantent et prend un malin plaisir à détruire leurs illusions.

Mais ils ont aussi appris que leurs valeurs vivent toujours et éclairent les sentiers parsemés de doute. Ils ont appris que le bonheur est possible. Qu'on peut le trouver dans les mots d'un auteur ou les images d'un film, dans une loi abolitionniste ou une musique de l'Inde, dans la chute d'un dictateur ou un couplet de Bono, dans un traité de paix ou un roman de Pascal Quignard (*Les Ombres errantes*, Grasset, 2002), et même dans une victoire électorale aux couleurs du mois de mai. Ils ont aussi appris que la réussite est dangereuse et qu'elle laisse au cœur un regret toujours vif, celui d'un temps où l'homme se sent l'auteur de son existence, d'un temps où il se hisse au-dessus de lui-même. C'est le souvenir que les parents leur ont légué : l'aventure était dans toutes les têtes. Ils ont appris à se méfier des vertiges de la rupture (divorce), ils en portent de nombreuses blessures qui transformeront leurs pensées, lesquelles prendront alors toutes les directions.

La génération issue des années 1980 nous chante tous les paradoxes et ne supporte pas la posture consistant à faire comme les autres. Elle veut du neuf. En somme, elle nous dit ceci : « Sans doute préférons-nous, au fond, la quête perpétuelle, le rêve inassouvi aux contingences étouffantes du réel. » Un réel trop souvent critiqué, un réel axé presque exclusivement sur l'accumulation, un réel où tout doit faire l'objet de comparaisons, un réel médiatique, un réel dont les apparences ont été plus que trompeuses.

La vision que ces hommes ordinaires prétendent avoir de l'Amérique et du monde des jeunes adultes est la marque d'une grande présomption. Les jeunes de la génération Y inventent et créent au rythme des liaisons qu'ils nouent avec les technologies et leurs divers dérivés. Alors que la génération précédente s'était d'abord concentrée sur le développement de soi, cette génération est plus sensible et beaucoup plus réceptive à la diversité culturelle et à la globalisation. La société de l'information et le monde de l'audiovisuel font partie de son quotidien, ce qui l'a depuis longtemps formée à la diversité et à la multiplicité des points de vue et des cultures. Elle vit la tolérance comme une évidence et elle est soucieuse de l'harmonie des relations.

Habitués dès leur plus jeune âge à gérer l'abondance de l'information et à maîtriser les nouveaux outils de communication, les jeunes adultes ont appris à surfer intuitivement sur l'océan d'images et de sons qui leur parvient chaque jour. Ils se structurent en fonction de paradigmes et de modalités culturelles radicalement différents de ceux qui prévalaient jusqu'à présent. Leur appréhension du monde est immédiate et associative.

Le jeune adulte de la génération Y est radicalement détaché. C'est un enfant de l'âge de l'information qui sait faire ressortir la fausseté du monde. Il se targue d'avoir, à l'égard d'à peu près tout, l'attitude désintéressée qui sied à un directeur financier. Comme il est émotionnellement et socialement muet, il a des difficultés à parler en employant le mot « nous ». Il reste imprégné du « je », auquel il recourt dans toutes ses affirmations, toutes ses revendications et toutes ses exaltations.

Ces jeunes adultes tiennent de fait un nouveau discours : le matériau de la vie n'est pas la stabilité et l'harmonie quiète, mais plutôt la lutte permanente entre les contraires. Tout est suggéré, tout se devine, puis s'impose.

Les repères sont devenus flous. Les réflexes des jeunes se sont émoussés. Le fossé qui les sépare des enfants qui les ont précédés en est d'autant plus difficile à saisir. Nous les avons convertis à une société de l'aveu : j'avoue, donc je suis ; j'écoute l'aveu de l'autre et je me rassure sur moi-même. La nudité est partout, et même l'esprit des gens est sérieusement mis à nu. Les parents sont les agents de cet espace de nudité.

Les jeunes adultes ont peu confiance en eux-mêmes, consentent peu d'efforts, en partie sans doute parce qu'il y a toujours quelqu'un (parent, ami, psy, média) qui est prêt à intervenir pour eux. Ils ont été élevés par des parents empesés par une tonne d'opinions, au point qu'ils semblent eux-mêmes déboussolés et ne plus savoir dans quelle direction aller, mais il y a toujours quelqu'un quelque part qui saura enclencher leur mouvement intime. Dans mon plus récent livre, *Être soi dans un monde difficile* (Éditions de l'Homme, 2005), j'ai à cet égard abordé la question du regard des autres sur les choix que nous faisons. Hélas, de par leur filiation avec la génération précédente, ces jeunes adultes ont été nourris d'opinions bien plus que de bons sens. Résultat? Plusieurs d'entre eux n'ont que des explications, parfois toutes faites, pour répondre à leurs interrogations. Il en résulte que, issus d'un milieu d'opinions, ils sont prêts à réagir; mais ils sont seulement capables d'appliquer des concepts tout faits sur les choses, et non de les sentir et de donner une réponse éclairée.

En prime, cette nouvelle génération a la manie de la pensée magique. Elle croit pouvoir obtenir ce qu'elle veut en appuyant sur le bouton de la télécommande.

Le moi inc.
Des photos éparpillées. Des images fixées à jamais. Le jeune adulte est seul sur la scène. Le plus souvent, il est enfant unique, a parfois un frère ou une sœur, vient d'une famille qui peut être séparée ou recomposée. Pour lui, rien n'est sûr. Il ne faut surtout pas le comparer. Le jeune adulte déteste les comparaisons. Mais, à l'inverse, il ne veut pas non plus être observé séparément des autres. Il s'adresse à nous, spectateurs, en regardant droit vers l'objectif de la caméra. Si je dis caméra, c'est parce que sa vie se déroule à travers l'œil. Chez lui, l'écoute n'a jamais été stimulée, ou si peu. Les jeunes adultes ont tellement entendu leurs parents manifester leur mécontentement et leur donner des conseils (alors qu'ils auraient préféré qu'on leur donne l'exemple) qu'ils ont peut-

être, par prudence, cessé de prêter l'oreille. Leur audition en a été gravement endommagée. D'ailleurs, les employeurs comprendront très rapidement qu'on ne parle pas à cette génération : on l'invite à la table de discussion (car elle exige une entente mutuelle) et on prend des notes. Sans oublier de lui offrir thé, café, jus, boisson gazeuse, Gatorade, Fruitopia, viennoiseries, etc. Génération glucose oblige ! Les jeunes adultes ont un besoin impérieux de manifester leurs attentes. Si l'on n'en tient pas compte, il sera presque impossible de les intégrer dans l'équipe.

Cela signifie que le jeune adulte ne se définit plus par sa capacité à faire des promesses, mais par le droit discrétionnaire qu'il se reconnaît de reprendre sa liberté à tout moment. L'engagement, qui était jusqu'à une date récente la marque de l'autonomie, apparaît maintenant comme un fardeau ou une entrave. Le jeune adulte ajoute : « Rien d'autre n'est moi en moi que mes envies, mes passions ou mes humeurs actuelles. »

C'est, je crois, la raison principale pour laquelle, à quelques exceptions près, la plupart des jeunes de la génération Y ne veulent pas avoir la même profession que leurs parents : ils sont restés trop longtemps assis au salon, à l'intérieur de la maison, et ils ont malheureusement entendu leurs parents poursuivre leur carrière avec un certain désenchantement, voire du dégoût. Par conséquent, rares seront ceux qui manifestent le désir (le plaisir) de faire le même travail que leurs parents. Et, j'y insiste, il est inconcevable que les nouvelles générations subissent une telle « imprudence ».

Les jeunes adultes sont infiniment bohèmes et cultivent le goût de l'aventure. Dès leur jeune âge, nous avons tenté de tout leur expliquer, de tout analyser pour eux, de tout corriger chez eux, de la parole aux gestes. Efforts louables ? Peut-être. Mais, ce faisant, nous leur avons soutiré leur innocence, leur insouciance et, plus encore, leur naïveté. Quel dommage !

Leur moi est une addition de « moi » qui se superposent sans s'effacer. Il est français, il est australien, il est chinois, il est marocain : il est citoyen du monde. Le jeune adulte croit à tout ce qu'il raconte sans même tenter de nuancer ses propos. Il voyage dans sa tête depuis sa tendre enfance. Il a des opinions sur tout. Par moments, il nous donne l'impression d'avoir 30 ans d'expérience, 30 ans d'ancienneté, 30 ans de scolarité. À le croire, il a tout vu, tout entendu. Comme nous n'avons corrigé en rien sa posture, son langage, son attitude, il a appris à se nourrir de nos enfantillages, de nos absences inexcusables et de nos erreurs de navigation. Les jeunes adultes ont trop souvent été témoins de propos contradictoires. C'est à se demander s'ils ont été élevés par des parents ou des adolescents.

Dans leur rejet de tout ce qui vient du père, de la mère, du professeur et autres substituts, ils se sont donné eux-mêmes leurs maîtres : l'ordinateur, la télévision, le cellulaire, l'iPod, le sucre, le tatouage, la dernière mode et tout le reste. Escapades ? Butinages ? Ces nouveaux maîtres – en grande partie venant des médias et des technologies – traduisent en fait le désir paradoxal de tout avoir et de voyager léger. Les jeunes adultes d'aujourd'hui se livrent à une interminable course contre la montre. Ils sont obèses de tout (trop d'accessoires, trop d'opinions, trop de conseils) et cantonnés au fin fond d'une solitude profonde. Sans remords, mais surtout sans retour. Paradoxe supplémentaire : au fil du temps, dans cette dualité constante entre *être* et *avoir*, cette nouvelle génération se métamorphose en Roméo et Juliette tropicaux. Les jeunes adultes brandissent leur animalité comme le dernier étendard auquel ils peuvent encore croire.

Ils sont scolarisés, insidieux, amoraux, dynamiques, beaux. Ils ont l'instinct. Ils sont imprévisibles, y compris peut-être pour eux-mêmes.

La grammaire a enseigné au jeune adulte que le «je» est le pronom de la première personne du singulier, qui désigne le moi qui parle ou qui pense. Il faut du temps pour découvrir le «tu», la deuxième personne, avec qui le «je» pourra peut-être passer du monologue au dialogue. Il faut encore plus de temps pour passer de «moi et toi» à «toi et moi», et davantage encore pour parler de «nous». Que dire alors du «vous», singulier ou pluriel, qui commande le respect ou la distance et que presque plus personne n'emploie, de peur peut-être de trop s'éloigner de soi? Quant à la troisième personne, on la laisse le plus souvent à la porte comme un étranger («Qui est là?»), un intrus («Qu'est-ce qu'elle veut, celle-là?») ou un inconnu («On sonne»). On abolit les distances en tutoyant tout le monde, et même le patron.

Le jeune adulte est un peu poète, cavalier, intrépide et volontaire. Jeune rebelle, il déteste les figures imposées, prend un malin plaisir à sortir de ses propres sentiers battus, à casser une image de soi trop attendue. Il explore et prend des risques. Il se méfie des mots. La frustration se lit dans ses actes. Ses humeurs vont de la mélancolie (état de celui qui a perdu la capacité de se réjouir – Freud) à l'ironie. Mais il a besoin qu'on accompagne sa mélancolie bien plus que son esprit d'aventure. C'est son âme, plus que lui, qui est à prendre avec des pincettes. Naïf ou sophistiqué, le jeune adulte trouve cependant sa place. Cohabitent alors en lui les contraires: *casser* et *construire*, *perturbation* et *harmonie*. Ce n'est pas seulement une question esthétique, c'est aussi son état mental.

À côtoyer de trop près des parents narcissiques, prétentieux et glorieux, les jeunes adultes ont conquis de nouveaux partenaires (médias, portable, internet), des amis et de nouveaux modèles, tout en sachant qu'il faut préserver avec eux une distance suffisante pour ne pas les copier. Ils défient l'auditoire, comme pour tester leurs propres aptitudes. Ce sont des chercheurs de trésors qui, à chaque instant, risquent la chute. Ils s'apparentent à des artistes, ils contemplent leur propre reflet, avec humour peut-être, comme en hommage à des parents amoureux d'eux-mêmes.

La propagande moderne sur les biens de consommation et la bonne vie sanctionne l'impulsion vers la gratification ; il n'est plus nécessaire pour le *ça* (pour reprendre la théorie de l'appareil psychique de Freud – le pôle pulsionnel de la personnalité) de se faire pardonner ses désirs ou de déguiser leurs proportions grandioses. Mais cette même propagande a rendu insupportables l'échec et la privation. Lorsque le jeune adulte prend enfin conscience qu'il devra peut-être « vivre non seulement sans être célèbre mais même sans *moi*, vivre et mourir sans que les autres se soient jamais rendu compte de l'espace microscopique qu'il occupait sur cette planète », il ressent cette découverte non seulement comme une déception, mais comme un coup dévastateur porté à son identité.

Besoin de cultiver le narcissisme de la différence ? Réaction à la standardisation galopante ? Le jeune adulte recherche en fait une identité visible. La tendance se veut légère, lumineuse. C'est le retour de la fête. C'est l'espoir qui revient. Le jeune adulte a une forme de snobisme bien à lui, dont il faut connaître les mots clefs.

Encore trop près de leur adolescence, les jeunes adultes ont en eux un vieux fond de tristesse à l'idée de devoir « grandir ». Ils repoussent tout ou presque à plus tard – la famille, la carrière, etc. Obsédés par l'apparence et intrigués par les grands espaces, tout se résume chez eux à la tenue vestimentaire. Ou comment se donner l'image d'un grand voyageur. Tout est signe, et le signe assurément ne se réalise que dans l'infime. On admet d'abord une mesure, une série bien liée de chances et de malchances : une sorte de sentiment intermédiaire qui fait que la génération Y hoche la tête devant les excès, un sentiment qu'il est interdit aux étrangers d'avoir plus. Ils s'attendent à recevoir les mêmes accessoires, les mêmes attentions, voire les mêmes reconnaissances que leurs voisins et leurs collègues. *Être quelqu'un* n'est plus suffisant pour eux. Ils veulent entrer dans cette nouvelle culture qui est apparue au début des années 2000, culture dite de choix, culture qui autorise tous les excès et qui se résume à ceci : *être plus*, plus haut, plus grand, plus fort… Toujours plus, sans attendre, en bousculant tout sur son passage. Aucun répit, aucun écart, droit devant, au péril de sa vie et de celle des autres. Il est interdit d'interdire ! Dans toute sa candeur, cette expression emblématique de Mai 68 rappelle qu'on en a fait des enfants-rois et que la majorité d'entre eux continuent de l'être. Mais leur certitude va plus loin : « Ne te demande pas ce qu'on a fait de toi. Demande-toi ce que tu fais de ce qu'on a fait de toi. »

La prolifération des sollicitations visuelles et auditives de la « société du spectacle », selon la description qu'on en a donné, a encouragé un type semblable de préoccupations concernant le moi. Les jeunes adultes réagissent les uns aux autres comme si leurs actions étaient enregistrées et simultanément transmises à un public invisible ou stockées pour une analyse ultérieure. Le type de société en vigueur fait ainsi apparaître des traits de personnalité de type narcissique qui sont présents, à divers degrés, chez chacun – une certaine superficialité protectrice, la crainte d'engagements astreignants, l'empressement à oublier ses racines quand le besoin s'en fait sentir, le désir de garder toutes les options ouvertes, une aversion au fait de dépendre de quelqu'un, l'incapacité à se montrer loyal ou reconnaissant.

Et le jeune adulte d'affirmer : « Pourquoi prétendre que je doive choisir ? C'est mon existence qui me choisit, petit à petit. Mon personnage s'enfonce en moi, doucement, et m'investit. »

La magie de l'entêtement

Comme le dit si bien Charles Taylor, « le jeune adulte se révèle non pas comme une organisation spatiale (une classe occupant un certain espace social dans lequel il se fige en tant qu'ordre et permission), mais comme force qui agit et se transforme dans le temps » (*Les Sources du moi,* Boréal, 1998). Ce n'est pas un espace social que le jeune adulte veut s'approprier, mais le temps, ce temps dont tout le monde sait ce qu'il est, mais que personne ne saurait définir.

N'allez surtout pas demander à un universitaire à quoi on reconnaît un jeune adulte. N'attendez nulle réponse des scientifiques, qui commencent à peine à comprendre le rôle du cerveau dans la formation des idées. Tournez-vous plutôt du côté des artistes, qui ont su le nimber de lumière dans sa méditation solitaire, comme Rembrandt, ou le figer dans une posture d'entêtement ou d'introversion, comme Rodin.

Une forme de légèreté et d'audace fait défaut chez les jeunes adultes de la génération Y. Ils ont un côté fureteur qui s'oppose à l'esprit de système et à la patience indissociable du concept. Les jeunes adultes affichent une distance souveraine avec les traditions philosophiques et éprouvent une véritable jubilation à franchir les frontières entre les disciplines. On ne trouve chez eux nulle verticalité, nulle succession, nul héritage. La notion de patrimoine leur est étrangère.

Esprit volage, le jeune adulte aime atteindre les limites, tenter le diable. La sagesse ne l'intéresse pas outre mesure, surtout si elle signifie le consentement à la réalité telle qu'elle est. Sa revendication d'inachèvement le range évidemment dans le camp des antidogmatiques. Il est en effet capable de « s'occuper de ce qui ne le regarde pas ». Le braconnage des savoirs qui le caractérise peut l'arracher à lui-même pour le jeter dans la mêlée. Chez lui, le goût pour la pensée est potentiellement subversif lorsqu'il invite au « pourquoi pas », au « comme si », à l'ailleurs. On s'accorde du reste pour le considérer comme un « émetteur » plutôt que comme un « récepteur ».

Est-il nécessaire de le mentionner ? La génération Y a souvent la réputation d'être irresponsable. Il faut d'abord l'entendre au sens premier du terme : le jeune prétend n'avoir de compte à rendre qu'à lui-même et n'accepter d'autre autorité que lui-même. Il ne reconnaît pour guides ni les traditions, ni Dieu, ni ses parents, ni ses employeurs, ni les maîtres de l'heure. Penser est pour lui un acte solitaire, tantôt exaltant, tantôt désespérant, mais jamais confortable. Il serait approprié de lui rappeler que la vie solitaire n'a que l'ombre pour parure. Pour reprendre les propos de Gustavo Adolfo Bécquer (1836-1870) : « La solitude est très belle… quand on a près de soi quelqu'un à qui le dire. »

Il faut ensuite entendre « irresponsable » au sens où le jeune adulte est indifférent aux règles et aux convenances sociales. Il ne peut s'empêcher de haranguer ses semblables, de chercher à les agiter plus qu'à les édifier. Dans tous les cas, il assume la singularité qui résulte de son aptitude à la provocation : il appartient, si l'on ose le paradoxe, à la catégorie des non-conformistes, et cela force quelquefois le respect.

Enfin, le jeune adulte est « irresponsable » en ce qu'il se sent délié de l'obligation qui lui incombe d'être attentif aux intérêts de la communauté. Mais irresponsabilité ne rime pas forcément avec tranquillité. Son individualité parfois excessive est une source de risques qui s'attachent à lui comme la fièvre aux nuits sans sommeil.

Il lui est facile et naturel de manipuler les impressions personnelles : la maîtrise qu'il a de leurs subtilités est un atout pour lui dans la famille et aussi dans les organisations professionnelles où le rendement compte moins que la « visibilité », l'« élan » et un beau « tableau de chasse ». La loyauté envers l'entreprise cède la place au « jeu de la réussite » : le jeune adulte est réellement chez lui dans ce nouveau monde social.

Lorsqu'ils vont jusqu'à rompre avec le sentiment de communauté, les jeunes adultes deviennent de vulgaires sophistes trouvant leur légitimité uniquement dans une rhétorique pernicieuse. On les soupçonne alors, peut-être à raison, de confondre la conversation de salon avec la réflexion argumentée, de vouloir séduire les médias ou de renoncer à la rigueur de leur formation pour emboîter le pas à leurs prédécesseurs. Ils tiennent les ficelles de ce théâtre du paraître. Introvertis, anxieux, hypersensibles, méfiants, frileux et enclins au vertige, ils sont fascinés par la fabrique de la culpabilité, de l'obsession, de l'irréparable. C'est le triomphe du scepticisme et la défaite de la raison. Du point de vue de ces jeunes adultes, l'émancipation tient de la redécouverte de l'infini.

Peut-on envisager que cette nouvelle génération est porteuse d'une force sociale responsable ? Nul ne peut dire si ce sera le cas et si elle assumera cette exigence. Mais une chose est sûre, ce ne sera possible que s'il y a une forme de retour à l'éthique, ce qui suppose de nouvelles orientations, à la fois politiques, familiales, sociales et économiques.

Autre certitude, il est impensable de confier cette nouvelle génération aux générations précédentes si les paradigmes qui sous-tendent les objectifs à suivre ne changent pas, plus précisément si nous conservons les mêmes manières de faire et d'être. Tenter de se désengager de ses sentiments a bien d'autres implications. Aujourd'hui comme hier, nous essayons de nous détacher de la dimension intentionnelle de nos actes, or nous savons pertinemment que le monde est de plus en plus complexe. La première voie empruntée par la nouvelle génération consiste à simplifier la complexité, et non à l'évoquer en permanence. La deuxième voie est de s'attaquer au culte vain de la nouveauté. Tous les intervenants (famille, employeurs, enseignants, politiciens, etc.) ont le devoir de peser et de mesurer les grands problèmes de notre temps et de dire quelles réponses ils vont leur apporter. La troisième voie consiste à vouloir à la fois un peu de libéralisme et un peu de socialisme compassionnel, un peu de marché et un peu d'État, et ainsi de suite. Finalement, nous en sommes réduits à accepter les choses telles qu'elles sont, en leur apportant des corrections plus ou moins cosmétiques.

À l'ère de l'esthétisme, voire du paraître, il y a peu d'espoir de préserver une certaine rigueur de la pensée. Je souhaite ardemment que cette nouvelle

génération détourne les esprits égarés vers de nouvelles cibles.

Agir ou penser ?
La vie humaine est-elle un inévitable enchaînement
d'erreurs jalonné de réussites éphémères et, dans tous
les cas, partielles ? C'est probable. Erreur sur la naissance, le lieu et l'époque ? Je ne sais pas. Mais sur le
contexte, oui, tout au moins en ce qui concerne cette
nouvelle génération : occultation du moindre défaut,
permissivité grandissante, éducation indigente, compréhension tardive des valeurs (respect, rigueur, politesse). Cette génération est toujours à contretemps
et à contre-courant de quelque chose : de tout ce qui
colle à elle comme une étiquette, malgré elle, et lui
assigne un masque. Pour ces jeunes adultes, regarder
en arrière n'invite pas nécessairement à l'optimisme.
Notre époque est consommatrice, bien sûr, mais
celles qui l'ont précédée ne l'étaient-elles pas aussi ?
Le temps embellit le passé et lui confère une patine de
grandeur illusoire. Qu'on songe à tous ces récits dotés
après coup d'une rigueur didactique, récits où toutes
les horreurs et les erreurs sont vidées de leur substance
et déchargées du poids d'une culpabilité accablante.

Aujourd'hui, nous ne pouvons plus plaider
l'ignorance. La génération Y est aux prises avec
l'abrutissement prescrit sur ordonnance et le manque de rigueur de parents trop pressés de vivre ou
avides de préserver une jeunesse éternelle. Mais il
suffit d'une seule fissure dans ce mur d'incompré-
hension pour qu'un rayon de lumière s'y glisse et
illumine enfin ces parents ensorcelés par la lourdeur
consommatrice et qui, à force d'accumulation, passent leur vie à polir un nombre incalculable d'accessoires en oubliant l'essentiel : apprendre à vivre
en famille.

Si l'école doit trouver un moyen de cultiver chez l'enfant et l'adolescent un tempérament sociable, l'habitude de coopérer, le désir de servir, une conscience de la fraternité ; il n'en demeure pas moins que l'éducation devrait demeurer, fondamentalement, une fonction parentale.

Le jeune adulte a été trop négligé, trop délaissé. Et il ne s'agit pas ici du cadre matériel dans lequel on l'a élevé : le manque tient à une présence physique, ne serait-ce que ponctuelle. Rares sont les parents qui ont compris qu'un enfant ne se rappelle pas l'achat d'un vêtement ou d'autres accessoires, mais qu'il se souvient plutôt d'un geste, d'une écoute attentive, d'un regard significatif. Maintenant, il va falloir s'occuper réellement de ces enfants.

Néanmoins, tout comme les employeurs, les parents reconnaissent qu'un «phénomène audiovisuel» est difficile à démentir. Images de réussite à l'appui, on a en effet soutenu devant le jeune qu'il aurait tout ce qu'il voudrait dans la mesure où il serait performant. «Fais ce que tu veux, mais sois performant.» Qu'avons-nous voulu insinuer exactement ? Résultat, les parents se ruinent ou se culpabilisent. L'addition est salée, mais l'amour n'a pas de prix. Or, l'amour sans discipline n'est pas suffisant pour assurer la continuité entre les générations dont dépend toute culture. Au lieu de guider l'enfant, la génération qui le précéda se débat, aujourd'hui, pour essayer de «suivre les jeunes», de «garder le contact» et de pénétrer leur jargon incompréhensible ; cela va même jusqu'à imiter leur comportement et leurs manières de s'habiller, dans l'espoir de préserver une apparence et une allure «jeunes».

Ces changements, que l'on ne saurait séparer de tout le développement de l'industrie moderne, ont rendu difficile aux enfants de s'identifier fortement à leurs parents. L'invasion de la famille par l'industrie, par les moyens de grande diffusion et par les agences de tutelle parentale socialisée a altéré, de façon subtile, la qualité des relations entre parents et enfants. Il s'est créé un idéal du parent parfait, tandis que les parents réels perdaient confiance dans leurs aptitudes au soin et à l'éducation de leur progéniture.

Le postulat selon lequel un individu devient autonome lorsqu'il est délivré de tout lien, affranchi de toute norme, coupé de tout héritage et de toute alliance, est on ne peut plus naïf et réducteur. Selon le philosophe Michel Maffesoli (*La Part du diable*, Flammarion, 2002), pour élever des enfants dans une société marchande dévouée à Dionysos, le dieu de la jouissance immédiate, il faut déployer des moyens qui vont du plus terre à terre au plus frivole : il faut les nourrir (sainement), les *looker* (selon la mode), leur payer des études (longues) et des cours de rattrapage, les distraire (disques, livres, DVD, ordinateur, jeux vidéo...) et régler tous les mois un chapelet d'abonnements. Le comble, c'est que le cocooning n'en finit plus !

Nous avons négligé d'apprendre à cette génération les bonnes manières, la politesse et l'importance de la rigueur. Le plus souvent, tout ce que nous avons fait devant eux, c'est paraître. Les jeunes adultes n'ont eu droit qu'à des conversations portant sur la réussite, la performance, la rentabilité ; on ne leur a presque rien dit sur l'humilité, la générosité, l'amour, l'effort. Le monde dans lequel ils vivent maintenant est plus obscur encore, et c'est en grande partie parce que nous, les parents de ces enfants, sommes encore imprégnés par le matérialisme qui enlise nos comportements et nous désapprend à penser.

50

La société renforce ces types de comportement, non seulement par l'«éducation indulgente» et l'attitude permissive qui prévaut, mais aussi par la publicité, la création de besoins et la culture hédoniste de masse. À première vue, on pourrait croire qu'une société fondée sur la consommation de masse encouragerait, chez l'individu, la gratification immodérée de tous ses désirs. Mais, à bien y regarder, on voit que la publicité moderne cherche à promouvoir non pas tant la satisfaction que le doute. Elle veut créer des besoins sans les satisfaire, engendrer des anxiétés nouvelles au lieu d'alléger les anciennes. La culture de masse entoure le consommateur d'images de la «bonne vie», qu'elle associe à la fascination de la célébrité et de la réussite. La tendance primordiale de la consommation de masse est ainsi de récapituler le processus de socialisation engendré, précédemment, par la famille.

Freud écrivait en 1930 que, bien que doté par les technologies industrielles des attributs du divin, et «pour autant qu'il ressemble à un dieu, l'homme d'aujourd'hui ne se sent pas heureux». C'est exactement ce que la société hyperindustrielle fait des jeunes adultes: les privant d'individualité, elle engendre des troupeaux d'êtres en mal d'être et en mal de devenir, c'est-à-dire en défaut d'avenir.

Désormais, le moi est à son comble, rien ne lui échappe: certitudes, inquiétudes, initiatives, opinions. Il tire à bout portant sans crier gare, franchit toutes les limites. Il ne craint personne, ne valorise que lui-même. Le jeune adulte déteste attendre et, par insouciance ou inconscience, il veut tout, tout de suite. La permissivité ne manque jamais d'imagination. Il serait si simple de se pencher aujourd'hui sur les plaies des parents d'hier ou de cette société qui a rompu avec les valeurs transmises par la génération dite traditionnelle.

Contempler ainsi le passé ne suffira pas. Il faut agir, et les jeunes adultes nous donneront, je l'espère, une leçon d'action. Ils répondront à cette question : faut-il agir ou penser ? Agir en toute liberté face aux événements, tel devrait être l'objectif de l'action au quotidien. Assumer cette autonomie suppose d'avoir une prise sur les événements et de transformer, avec énergie et dans la continuité, les forces de la fatalité (sociale, culturelle, individuelle). Une véritable éruption que la raison, dont dépend l'équilibre de ces jeunes adultes, devra maîtriser, ramener à de justes proportions lorsqu'elle est excessive, de façon à les garder du scandale de la contingence et de leur éviter l'extase. Les choses doivent d'abord surgir. Ensuite, elles doivent être tamisées par la raison et transformées en routine quotidienne. À cet égard, on doit aussi se demander si penser c'est aussi faire quelque chose, si la pensée est une modalité de l'action. Penser, écrire, c'est en fait mettre en relief la réalité, clarifier le sens – et le sort – de ce qui est. Comme l'écrit Gœthe : « Penser est facile. Agir est difficile. Agir selon sa pensée est ce qu'il y a de plus difficile. »

L'illusion de l'idéal

La génération millénaire vit dans l'instant présent, deux mots qu'elle a appris de ses parents, voire d'une société en manque de manque. « Ne perds pas de temps. Vis aujourd'hui, vis intensément, vis abondamment. » Pas de compromis, pas de doute, pas d'entre-deux : « Du passé faisons table rase. » En ce sens, les jeunes ont repris les codes et les conventions qu'on leur a enseignés, l'héritage qu'on leur a légué. Mais, à la faveur de déplacements et de glissements, d'abord imperceptibles, puis de plus en plus assumés, ils ont retourné ces règles contre elles-mêmes. Le résultat, inédit et non conforme, ne prend son sens que si on mesure l'écart ainsi creusé avec le modèle détourné, que si on décèle la ressemblance existant avec ce dont ils s'éloignent, et avec quoi ils détonnent.

Le jeune adulte n'est pas le seul à avoir «peur d'être piégé», ce sentiment prévaut dans les professions libérales et chez les étudiants qui s'y destinent. Il voit, lui aussi, un rapport entre la peur d'être piégé et la valeur donnée à la culture, à la mobilité dans la carrière, d'une part, et son équivalent psychique, le développement personnel, d'autre part. «Restez sans attaches», «conservez toutes vos options» – ces adjurations viennent du sentiment que la société installe toutes sortes de pièges pour maintenir la génération Y dans un détachement continu.

Il faut s'y faire : nous entrons au pas de course dans un nouveau monde. Une planète magique et excessive, immatérielle, impalpable, où nos sens se perdent à l'infini dans les logiciels informatiques. Désormais, la vie du jeune adulte est en 3D. Virtuelle, dites-vous ? Le mot rime avec éternelle. Dans cet univers fantasmé, le jeune adulte jouit sans entraves. Il se dédouble, se fabrique des avatars hollywoodiens portant des noms de héros. Sa vie devient un scénario à la Bono. Ou un remake de *La Vie en rose* d'Édith Piaf. Il suffit de choisir son histoire. Le site Second Life est une nouvelle Amérique, une nouvelle frontière pour les pionniers du web et du «mentir-vrai», pour reprendre la formule d'Aragon. Les internautes s'y ruent par millions. Les multinationales s'y engouffrent, y créent boutiques et sièges virtuels, persuadés que le nouvel eldorado est là, de l'autre côté de l'écran, où le marché, forcément, l'emportera tôt ou tard. La génération Y nous convie à traverser ce nouveau miroir qu'est l'écran de l'ordinateur.

Les jeunes adultes ne veulent rien céder. Ils n'ont qu'un mot en tête : l'excès. Pour eux, tout doit être excessif, en commençant par eux-mêmes, de la sexualité à la réussite en passant par le dérapage. «Je dois réussir tout ce que j'entreprends, sinon je suis nul.» Qui plus est, le déploiement de l'excès se fait sous le signe du court terme, de l'aventure, de l'extrême, de l'inattendu. Ces jeunes adultes craquent pour le beau, l'unique, l'excentrique, partagent un langage formé d'un lexique de phrases courtes, des codes personnalisés. Leur mémoire est volontairement sélective et, pour cette raison même, elle simule une défaillance. À force de généralisations dramatisantes, ce sont leur vision du monde, leurs relations avec autrui et leur estime de soi qui finissent par en être littéralement empoisonnés. Ce qui entraîne à la longue dépendance, violence verbale, souffrances psychiques. Le remède pourrait être le recours à la solitude, au silence, à l'introspection – non pas l'excès inverse, mais les pistes de la sérénité. Seulement, les jeunes adultes en sont-ils capables?

Sérénité? On n'emploie plus guère ce mot, et pour cause: la pression que le monde extérieur (en particulier le monde du travail) exerce sur nous s'ajoute à la pression qui provient de notre for intérieur; il en résulte une tension intime qu'on appelle désormais «stress». Avec son sifflement intense si long à s'éteindre, le stress nous renvoie au sens rugueux du latin *stringere* (serrer, comprimer, étouffer). Il dit combien s'enfonce en nous ce qui nous «presse». La notion de stress est au point de rencontre des divers champs que nos savoirs ont mis tant de soin à séparer (psychologie, physiologie, neurologie, sociologie, etc.); elle s'intercale entre eux jusqu'à faire tomber, en silence, à la fois leurs justifications et leurs frontières. La notion de stress et le stress lui-même croissent démesurément depuis quelques décennies, comme pour mieux dire ce qui, sous l'excès de l'*excitation*, se trouble et se désorganise jusqu'à paralyser notre vitalité. Selon Statistique Canada, le temps de travail perdu pour des raisons personnelles s'est accru depuis 10 ans, passant de 7,4 jours par travailleur en 1977 à 9,7 jours en 2006. Le stress, l'anxiété et la dépression représentent la principale cause des absences du travail. La bonne nouvelle, c'est que les enjeux en matière de santé et de productivité font maintenant partie des priorités économiques de beaucoup d'entreprises.

De quoi voulons-nous guérir? Et comment? En couchant l'inaudible et le honteux sur le divan, Freud a libéré l'humanité de ses tabous. Un siècle plus tard, n'attendons-nous pas un peu trop de ses disciples? «On demande au psy de parler à chacun de son bonheur, de l'amour… D'expertiser le pathologique. De consoler. D'éduquer. D'expliquer. De muscler les performances en entreprise», observe Édouard Zarifian, professeur émérite de psychiatrie, dans *Le Goût de vivre* (Odile Jacob, 2005). «La société même est devenue un immense psychisme», renchérit le psychanalyste Serge Hefez. Tout notre discours se psychologise parce que nous pensons que c'est la seule voie qui nous permet de donner du sens aux choses et aux êtres. Il est douteux que le remède soit à la hauteur du mal.

Reprenons quelques slogans en vogue: «Optimiser son bien-être», «Réveiller le champion en soi», «Faites-moi oublier», «Que dois-je consommer pour exister?»… Cette idéologie du *coaching* a gagné l'entreprise. L'emprise n'y est plus physique mais psychique. Au moment de la révolution industrielle, l'entreprise disait aux salariés: «Votre force musculaire m'intéresse.» Aujourd'hui, elle veut un engagement total: «Votre âme nous intéresse aussi.» Un cadre est-il trop craintif? On lui propose un stage d'analyse transactionnelle, histoire de le reprogrammer à coup de pensées positives. Le but est d'allier performance et bien-être, de torpiller tous les aléas de la vie.

Antan, on inventait des médicaments pour soigner les maladies. Maintenant, on inventerait presque des maladies pour caser des médicaments : Prozac pour les endeuillés, Ritalin pour les agités. L'existence deviendrait-elle une maladie ? La nouvelle génération devra y penser, elle qui est sommée de se réinventer sans cesse en se modelant au goût du jour, elle dont les références sont continuellement remises en question. De plus, les jeunes adultes doivent désormais être des « entrepreneurs de leur vie », ce qui les expose à pas mal de déconvenues. « Si je ne m'épanouis pas, c'est que je suis un incapable. » « Être déprimé, c'est quoi ? Échouer par rapport à un idéal de performance. » La mode psy, avec tous ses marchands de bonheur, flatte notre idéal de maîtrise du réel et de maîtrise de soi. « Transformer la misère hystérique en malheur ordinaire », disait Freud. Or, trop attendre des psys, c'est s'exposer à la déception. L'angoisse des jeunes adultes ne tient pas de la pathologie : ils ont tout bonnement perdu contact avec la vérité. Comme l'écrivait Nietzsche, « on ne devrait pas oublier toutefois que le pire ennemi de la vérité, ce n'est pas le mensonge mais les convictions ».

Cette déception aura au moins une vertu : dissiper l'aveuglément auxquelles nos sociétés riches succombent commodément pour s'illusionner sur les progrès de leur sécurité. Ainsi, peut-être comprendrons-nous que notre besoin de vouloir tout maîtriser doit s'accompagner d'une vigilance nouvelle devant les apparences trompeuses que nous propose l'Occident moderne. Le temps viendra alors, du moins je l'espère, où nous renoncerons aux échappatoires illusoires qui parsèment la quête de l'« idéal ».

Devenir adulte, c'est transformer ses pulsions en désirs qui savent attendre. Peut-on le rappeler aux jeunes sans les insulter ? Hantés par des parents qui leur ont laissé un goût amer du monde du travail, ils rejettent tous les conformismes. Il est inutile de leur faire des propositions, ils ordonnent. Le leitmotiv qui les habite : « Tout, tout de suite. » J'ai déjà abordé ce thème si cher à la génération millénaire dans *Enfant-roi – Tout, tout de suite !* (Logiques, 2001, 2004). Tout, tout de suite. Maintenant. « Soyez hyperréaliste, demandez l'impossible », tel est leur cheval de bataille, tel un écho du fameux slogan de Mai 68 : « Soyons réalistes, demandons l'impossible. » Ils n'ont dès lors plus de temps devant eux, plus de temps à donner, ni à prendre, ni surtout à perdre. C'est tout de suite, immédiatement, à la minute, à la seconde, au dixième ou centième de seconde près. Hier n'existe déjà plus, demain sera trop tard... « On n'a pas le temps d'attendre. »

En somme, pour le jeune adulte de la génération Y, être signifierait « être pour moi ». Mais tirer une telle conclusion reviendrait à admettre l'existence du jeune adulte sans vraiment l'interroger. Or, ce qu'on doit farouchement remettre en cause, c'est précisément l'idée que le jeune adulte est issu de permissivités grandissantes et qu'il est transparent à lui-même. Cette injonction ne doit pas être mise sur le compte du culte du paradoxe ou du refus de la clarté, mais de la revendication insistante de la complexité.

Ce qui soulève les questions fondamentales auxquelles ce livre entend répondre. Un nouveau modèle de génération est-il possible ? Un nouveau dynamisme peut-il apparaître dans nos sociétés laxistes ? Il va de soi qu'on ne peut les créer en imposant des façons de faire et des manières d'être allant à l'encontre de ce que les jeunes adultes ont à proposer. Pour faire émerger ce modèle et ce dynamisme nouveaux, il nous faut donc tenir compte de la direction indiquée par la génération Y.

Première esquisse de piste : existe-t-il un principe susceptible d'empêcher notre société de succomber à la concurrence généralisée, sans pour autant verser dans l'esprit de puissance, de conquête et de croisade, dans le but de remobiliser la société et de lui imposer des contraintes et des sacrifices ? Ce principe existe : c'est l'*individualisme.* Il est vrai que le mot a mauvaise réputation. On y a recouru pour célébrer l'intérêt personnel et l'indifférence à l'égard du plus grand nombre. Quand il devient synonyme de succès des nantis et de rejet des précaires et des exclus, l'individualisme est à proprement parler intolérable, et c'est à juste titre qu'il devient la cible de ceux qui défendent la solidarité, la justice et l'égalité.

Précisons notre question : existe-t-il une forme d'individualisme qui puisse remplacer la volonté de conquête et la création des fortes tensions internes qui ont rendu efficace le modèle occidental de modernisation ? Autrement dit, comment nos sociétés peuvent-elles échapper aux dangers, à la fois opposés et complémentaires, que sont la soumission servile aux règles du marché et un communautarisme exacerbé débouchant inéluctablement sur l'enfermement et l'isolement ? Il est à l'évidence difficile de résumer la réponse en quelques lignes.

Reformulée en ces termes, la question renvoie cependant à coup sûr au mouvement de libération par lequel les dominés se révoltent contre leur sujétion, pour se donner une subjectivité et s'affirmer comme des êtres de droit qui rejettent l'injustice, l'inégalité et l'humiliation. L'histoire est à cet égard riche en mouvements de libération : libération de la classe ouvrière, des femmes et des diverses minorités. Tous traduisent une même quête et reposent sur une exigence commune qu'on peut synthétiser au niveau théorique de la façon suivante : dans ce monde qui ne peut plus se construire autour de la conquête et de la gestion des tensions les plus fortes, c'est la recherche de soi et la résistance de soi aux forces impersonnelles qui peuvent nous permettre de conserver notre liberté.

Cette forme de résistance porte en elle une affirmation de soi, non seulement en tant qu'acteur social, mais aussi en tant que *sujet personnel*. La remise en cause des idées reçues sur ce que doit être la société ne peut nous sauver d'une catastrophe que si elle débouche sur l'idée d'un sujet agissant sans chercher le profit, le pouvoir ou la gloire, mais affirmant la dignité de chaque être humain et le respect qui lui est dû.

Chapitre II

Le désir de faire savoir

« La vie est finie quand tu ne surprends plus personne. »

Coluche (1944-1986)

« Cette recrue continuelle du genre humain, je veux dire les enfants qui naissent, à mesure qu'ils croissent et qu'ils s'avancent, semblent nous pousser de l'épaule et nous dire : Retirez-vous, c'est maintenant notre tour. »

Jacques Bénigne Bossuet (1627-1704)

Être soi-même

Situons la modernité là où elle doit être : dans les tensions, les affrontements, les conflits et les mensonges. Hier, on célébrait le XVIIIe siècle pour sa légèreté, son libertinage, sa découverte du plaisir. Aujourd'hui, angoissés par notre fameuse « perte de repères », nous y cherchons des principes indiscutables. S'il existait jadis, bien avant les Lumières, un principe de transcendance qui nous tirait vers le haut, il semble que la modernité nous tire aujourd'hui vers le bas. Nous assistons en quelque sorte à la deuxième chute de l'homme, la « chute dans la banalité » dont parle Heidegger.

Jadis, à travers nos dons et nos sacrifices, nous rendions grâce à Dieu ou à une instance quelconque de répondre à nos besoins. Aujourd'hui, toute transcendance ayant disparu, nous n'avons plus d'« Être suprême » à qui adresser nos remerciements. Et si, dans ce monde, nous ne pouvons rien donner en échange de ce que nous recevons, ce monde en devient inacceptable. C'est ainsi que nous avons liquidé le monde naturel pour lui substituer un monde artificiel – un monde construit de toutes pièces, pour lequel nous n'aurons de comptes à rendre à personne. L'idéologue moderne est devenu le symbole d'une société du spectacle et du désir qui détourne les humains de toute transcendance. Nos sociétés ont ainsi réduit les êtres humains à des ressources humaines pour le capital et à des outils pour l'argent.

« L'être humain agit en fonction de ses intérêts. » Comme le précise Rousseau, « nul ne dit jamais ce qu'il pense mais ce qui lui convient de faire penser à autrui, et le zèle apparent de la vérité n'est jamais en eux que le masque de l'intérêt ». Qui contesterait cette vérité ? Reste à définir les intérêts dont il est question. On imagine que, dans les temps anciens, ils aient pu être sublimes : selon les cas, l'Honneur, la

Foi, le Prestige donnaient des ailes à nos aïeux. On se plaint qu'il n'en va plus de même aujourd'hui. On suppute que seul l'intérêt matériel, chiffrable, monnayable règle la conduite de nos contemporains vaticinant et consommant. Pour le jeune adulte, la plénitude au sens matériel du terme est une donnée immédiate. Lorsqu'il doit ensuite faire face au refus, à l'absence et à toutes les formes de contrainte, il les perçoit comme des insuffisances partielles, des lacunes provisoires, des contradictions volatiles. D'où sa grande difficulté d'apprendre des autres, hanté qu'il est par l'image démesurément valorisante que ses parents affolés lui renvoient, habitué qu'il est de valoriser leurs savoirs. Conséquence, le jeune adulte demeure en marge.

Partout, la génération Y se heurte à la même question : comment être soi et indépendant ? La question est d'autant plus épineuse dans nos sociétés, où chacun se doit d'être joignable à tout moment, quitte à ne plus pouvoir répondre à l'appel du hasard et de l'aventure qui peuvent à tout moment modifier le cours d'une vie. Les choix illimités qui s'offrent aux jeunes adultes les poussent à ne rien faire. Déboussolés, ils ne savent plus quelle option choisir. L'information est partout, tout le temps : ils en sont saturés.

Qu'ils obéissent à leur plan médias ou se mettent à nu sur commande, les jeunes adultes ne circulent plus que dans un flux d'images : images de leur identité, de leur quant-à-soi, de leur intimité, de leurs amours ! Sous ces projecteurs étincelants, c'est une certaine idée ombreuse de leur identité, de ses rouages secrets, de ses mécanismes cachés, qui se dissipe. Pourtant, nos yeux de parents, d'employeurs, ne se sont pas encore habitués à ce glissement entre l'image, parfois impénétrable, qu'ils projettent, et la lumière, parfois crue, qui les révèlent. Le changement de perspective est là, mais nous n'arrivons pas à accommoder et à discerner leurs revendications.

Car c'est bel et bien de leurs revendications qu'il s'agit : conciliation entre le travail et les loisirs, exigence de débats d'idées, besoin de privilèges, avidité de stimuli, création de nouvelles alliances, etc. Loin d'être figées, toutes ces revendications évoluent. Qu'on songe par exemple à l'aptitude des jeunes adultes à changer radicalement de tactique et de style, à abandonner sans regret leurs engagements, à reprendre leur fidélité et à profiter des occasions selon leurs préférences personnelles plutôt que dans l'ordre où elles se présentent... Voilà une esquisse des priorités de ces jeunes adultes, qui non seulement sont en quête d'autonomie, mais cherchent surtout à faire valoir leurs différences. Autrement dit, ils se préoccupent de leur identité – mot-phare de leur imaginaire –, et si cette préoccupation n'est pas nouvelle, elle s'intensifie. Or, notre « système » n'a pas encore trouvé, que ce soit dans ses institutions, ses mœurs ou ses acteurs, comment s'adapter à cette nouvelle génération.

Au-delà de ce système, ou peut-être dans ses principes, la difficulté tient à la possibilité même d'une autonomie qui ne nous confine pas à nous-mêmes. Rien n'est plus difficile que la franchise, et rien n'est plus aisé que la certitude. Nous ne sommes plus à l'ère de la raison, de l'intelligence, de la politique déductive, comme disait Sartre, à présent remplacées par l'appel au sentiment, au ventre, aux instincts. Et cela marche. Bien sûr, les gens ne vont plus à l'église, mais ils s'intéressent de près à l'irrationnel, aux réponses mystiques, au « New Age ». Les anciens liens sont brisés, et la mobilité nous est en quelque sorte imposée.

Le face-à-face d'autrefois a disparu, qui nous mettait en présence des autres. Aujourd'hui, chacun est face à face avec lui-même, dans une relation unidirectionnelle ne comportant plus que l'émetteur, le récepteur s'étant égaré ou n'ayant plus de lien avec le contenu. Désormais, il s'agit seulement de faire bonne impression. « À une intense liberté d'expression (sans normes) correspond une très faible liberté de réception », comme le précise Philippe Breton. Émetteur et récepteur se confondent dans la même boucle : tous émetteurs, tous récepteurs. Chaque sujet, interagissant avec lui-même, est voué à s'exprimer sans plus avoir le temps d'écouter l'autre. Accumulant les savoirs et cumulant les opinions, que désire-t-il nous faire savoir ?

Les jeunes adultes tirent leur connaissance du monde de ce qu'ils voient autour d'eux. Ils veulent évoluer dans un espace-temps théâtralisé, dépourvu de tout risque et de tout inconfort, pour se noyer dans un flux de sensations exceptionnelles. Comme rien n'a lieu ailleurs, c'est ici que chaque existence se joue. La soif d'exil et d'exotisme revendiqué par la nouvelle génération ne renvoie pas à l'attraction d'un autre monde, infiniment variable : cette attirance n'est que l'envers de la distraction, que Pascal nomme « divertissement ». Au fond des maladies de l'idéal bouillonne le mal du moi, si cher à la génération Y, cette pathologie de l'identité dont elle émane. Pour affronter le cœur du malaise moderne, il faut regarder en face la douloureuse crise identitaire que traverse tout jeune adulte privé des emblèmes traditionnels qui authentifiait le Moi. Comment trouver « sa place » quand les hiérarchies entrent en déliquescence et que les liens moraux se désagrègent ? La cohorte des exclus ne forme plus une classe sociale : la « lutte des places » devient l'enjeu de la génération millénaire.

La montée en puissance de l'industrie du divertissement, de l'idéologie de la consommation et du culte des marques constitue une part importante de ce que Noam Chomsky a appelé la «manufacture du consentement»: l'acceptation de l'ordre social par les populations occidentales est désormais assurée moins par la répression que par la séduction.

Le temps a fait son œuvre, égaré le visage, blanchi la peau. Mais derrière son regard flou, le jeune adulte est intact. Il expose ses arguments: l'égarement de ses parents, l'obsession du désir, le culte de l'immédiat, le souci de plaire, sans oublier la réussite – le mot d'ordre des employeurs. Il est vrai que le vent tourne. L'ambition du jeune adulte est éminemment voyageuse. Mais dans son style «faire savoir», il refuse de se laisser enfermer dans un quelconque rôle de porte-parole.

Affirmation de sa différence

«Affranchi de l'autorité des adultes, l'enfant n'a donc pas été libéré mais soumis à une autorité bien plus effrayante et vraiment tyrannique: la tyrannie de la majorité», écrivait Hannah Arendt dans *La Crise de la culture* (Gallimard, 1972). La liberté ne s'affirme plus aujourd'hui sous le regard des pères, mais sous celui des pairs. La transmission s'efface au profit de l'imitation: il s'agit d'être à la hauteur du regard de ses pairs, même s'il faut pour cela se battre avec ses parents. L'estime de soi ne vient plus de l'adhésion à des valeurs unanimement partagées et structurant le lien social; elle ne se construit plus par rapport aux aînés, mais en regardant le miroir de ses semblables.

À de multiples niveaux, le jeune adulte vit dans un monde de représentation, sur une scène, dans la peur du jugement des autres. Rien d'étonnant à ce que les marques commerciales, notamment, exercent un ascendant tyrannique sur la génération Y, une tyrannie qu'elle accepte comme une servitude volontaire. À travers le matraquage des marques, le discours publicitaire s'érige en matrice essentielle de l'image de soi et des autres, procure aux jeunes à la fois les signes de différenciation de soi et de reconnaissance du groupe. Elles donnent à nombre d'entre eux une identité de prothèse, une culture de classe d'âge, qui les protègent contre le sentiment du désordre du monde et la difficulté de savoir qui on est devant la multitude des choix possibles. Ainsi de la personnalisation infinie, dont le portable est l'objet. Le désir de singularité est comblé par cet instrument indispensable à tout jeune adulte et qui remplit une bonne part de son existence. Dès l'adolescence, tout ce qui constitue l'apparence – vêtement, coiffure, attitudes, look, tenue – ne relève plus de l'évidence banale, mais se construit comme un langage direct, comme un badge de reconnaissance, littéralement une marque.

Ce qui est à l'œuvre, c'est la passion du même, la recherche d'un miroir pour être soi, la quête, parmi l'éventail des invités ou des concurrents, d'un modèle à suivre pour se comporter, s'exprimer, s'affirmer ou s'habiller. Pour sauver sa peau, le jeune adulte fait peau neuve. Il change son corps pour changer sa vie. Exister aujourd'hui, c'est être reconnu ; on trouve son salut si on est remarqué, c'est-à-dire marqué et démarqué. Cet impératif de représentation touche de plein fouet la génération millénaire. Sa devise se résume à cette affirmation : « Porter des marques, laisser sa marque. »

« *Be yourself!* » Nul aujourd'hui, surtout parmi la jeunesse, ne saurait refuser ce programme. L'impératif d'être soi-même ne fait pas seulement appel au désir universel de liberté, il flatte également le narcissisme du jeune adulte, lui laissant entendre que ce «moi-même» authentique auquel il aspire est déjà présent au fond de lui, comme un bouton de rose qui n'attend pour éclore que des conditions favorables ou même un simple encouragement. On l'aura compris, aussi séduisante soit-elle, l'idée d'un soi originel est un leurre, que dément notre expérience de la vie. Car lorsqu'on a le plaisir de se sentir être soi-même, on sait bien qu'on ne le doit pas qu'à soi. Il y a en nous, avant tout, un désir d'exister, précisément parce que le fait d'exister ne va pas de soi, n'est pas donné d'avance. Comment exister? Comment développer assurance et confiance en soi? Autant de questions qui angoissent le jeune adulte. La réponse est double. Elle implique un aller et retour entre deux pôles: d'un côté, il s'agit d'apprendre à se sentir bien avec les autres (du moins avec quelques-uns d'entre eux) dans une relation d'égalité; de l'autre, de développer un intérêt gratuit pour autre chose que soi – c'est-à-dire dans l'oubli du désir d'être reconnu.

Pour reprendre les propos de René Char, écrivain, poète et résistant: «Impose ta chance, serre ton bonheur et va vers ton risque. À te regarder, ils s'habitueront.» J'ajouterai ceci: «Où ce jeune adulte trouvera-t-il l'indispensable répit pour écouter, pour revenir à lui-même, pour apprendre?» Affirmer sa différence, c'est aussi situer la vérité ailleurs que dans l'apparence immédiate.

Élégante attitude

Faire savoir, d'accord, mais avec élégance. Dire «Bonjour, monsieur», «Merci, madame», s'excuser, être discret, courtois, prévenant, bienveillant… voilà la politesse. Aider une femme à monter un marchepied, lui baiser la main, lui ouvrir la porte, sourire avec l'œil... voilà la galanterie. Je supplie les jeunes adultes de s'y arrêter, voire de refaire les préliminaires, de prêter une toute nouvelle attention à la manière. Avec la politesse, c'est toute la société qui est en jeu. Aristocratique jusqu'en 1789, le savoir-vivre devient bourgeois au XIXᵉ siècle. La Révolution rêvait de le décapiter ? Raté ! Elle l'a démocratisé... et universalisé. Son aboutissement se trouve tout entier chez Proust, qui en fait la métaphore d'une société à bout de souffle. Puis, c'est la chute : les tranchées de la guerre de 1914-1918 lui donnent un coup de baïonnette ; la Seconde Guerre mondiale la plonge dans la stupeur ; Mai 68 lui lance des pavés. Aux orties, les bonnes manières ! Mais la politesse a la peau dure... Depuis les années 1980, théoriciens, penseurs et politiques de tout poil ne cessent de blâmer l'incivilité et réclament non pas la restauration de règles surannées, mais le simple respect de soi-même... qui passe par le respect de l'autre. Le dire avec galanterie ne suffit pas, je sais, il y a aussi le contenu, voire la reconnaissance qui s'ajoute au geste comme à la parole.

Comment faire revivre cet héritage dans une société confrontée à de nouveaux refus de la mixité et où on pense tout en termes de rapport de domination ? La galanterie implique la stabilité des rôles sexuels, l'acceptation des attentes, une intelligibilité globale des choses de la vie, le respect de l'autre.

On sait que la langue est un corps de prescriptions et d'habitudes commun à tous les écrivains d'une époque. Elle est comme un cercle abstrait de vérités, hors duquel peut seulement apparaître la densité d'un verbe solitaire. Elle contient toute la création littéraire, à peu près comme le ciel, le sol et l'horizon constituent le domaine familier de tout individu. Justement, elle est bien moins un ensemble de matériaux ou de données qu'un horizon, c'est-à-dire à la fois une limite et une station, en un mot l'étendue rassurante d'une économie. L'écrivain n'y puise rien à la lettre. Pour lui, la langue est plutôt une ligne qu'il peut transgresser pour, peut-être, atteindre une surnature du langage : elle est l'aire d'une action, la définition et l'attente d'un possible. Et nous, qui ne savons plus parler, nos manières se sont dissoutes...

À la nouvelle génération maintenant de s'engager dans cette voie, de renouer avec des lectures, des références qui enrichiront à la fois son vocabulaire, son style et sa façon de dire. Aller à la rencontre des livres qui *désenferment,* qui font fleurir l'imagination et l'ingéniosité, voilà une chance inouïe pour les jeunes d'aujourd'hui. Quel que soit son raffinement, le style donne le ton à l'humeur : c'est une forme sans destination, le produit d'une poussée non d'une intention, comme une dimension verticale et solitaire de la pensée.

Rien ne se démode plus vite que le code des usages. Qui suivrait aujourd'hui les préceptes des vieux manuels de savoir-vivre risquerait de paraître malappris ou ridicule. Et personne ne peut se vanter de savoir en toutes circonstances « ce qui se fait » et « ce qui ne se fait pas ». Pour s'entendre, en effet, il faut d'abord se comprendre. Tout dialogue constructif nécessite des interlocuteurs une même exigence de validité des propositions et le respect de certains critères : accord sur le sens des mots, des phrases, du raisonnement, impartialité et bonne foi. Cela suppose à la fois une démarche de recherche à travers la littérature et une rigueur « scolaire » nécessaire à l'actualisation des savoirs, sans quoi nous risquons fort de voir, d'ici peu, notre existence « colonisée » par les experts et les charlatans.

Un regard sincère est notre seconde – et meilleure – peau : ses frémissements et ses flottements élargissent la respiration de l'épiderme qui nous est donné une fois pour toutes, et que le regard de l'autre célèbre et cajole presque amoureusement. Dit autrement, le regard nous est bien plus proche que le mot, il signale tout de son intention, parle en silence, attend patiemment l'assentiment de l'autre. Et même quand on finit par saisir le regard, on ne perd pas de vue tout ce frémissement plus subtil que peut être le sourire, cette forme de verbe caché qui nous livre des messages jamais écrits.

Chapitre III

Un regard sur les générations

« Celui qui donne un bon conseil construit d'une main. Celui qui conseille et donne l'exemple construit à deux mains. Mais celui qui donne de bonnes leçons et un mauvais exemple construit d'une main et détruit de l'autre. »

Francis Bacon (1561-1626)

Le dialogue générationnel

Qu'entend-on par génération ? Il est impossible de rendre compte en quelques lignes de la question des générations. Le présent chapitre repose sur plusieurs hypothèses empruntées à différents auteurs (Strauss et Howe, 1991 ; James O. Gollub, 1993 ; B. Préel, 1994 ; Addisson-Wesley, 1991). La première hypothèse à avoir été formulée est que la génération est définie par l'histoire. Dans cette optique, la génération représente un instrument de mesure du temps historique ; historiens et philosophes vont s'efforcer de la conceptualiser, de la systématiser, pour avoir une appréhension plus objective et plus rigoureuse de l'histoire. Cet usage de la notion de génération correspond à la naissance de l'histoire critique. Pour Auguste Comte (1798-1857), le progrès de l'histoire se fait dans la continuité des générations. Lorsque les générations sont courtes (espérance de vie courte), ce rythme est accéléré et le changement est plus rapide, tandis que le changement est plus lent lorsque les générations sont plus longues (espérance de vie plus longue). En conséquence, plus la succession des générations est rapide, plus le progrès est plus sensible. Mais Auguste Comte nuance son propos en soulignant qu'une certaine continuité, donc une durée de vie relativement longue, est nécessaire pour asseoir les changements, les stabiliser ; à l'inverse, si la durée de vie est trop courte, cela ne permet pas de réels changements et ne favorise donc pas le progrès de la société. La génération est l'ensemble des grands esprits qui ont marqué leur époque et les changements sociaux qui s'y sont opérés. Dans cette optique, la génération a été utilisée plutôt dans un but de classification, dans le cadre d'une étude de la structure sociale. Les générations sont représentées comme des groupes sociaux qui entrent en interaction et structurent la société. Notion d'âge et notion de génération se rapprochent. Le retour, si on peut dire, de la notion de génération a coïncidé avec les premières réflexions sur les mouvements de jeunes qui ont commencé dans les années 1950 et qui ont conduit à s'interroger sur l'origine de la formation de ces groupes sur la base de l'âge et sur leur signification. On en revient en quelque sorte à Karl Mannheim (1893-1947), la notion de jeunesse et la notion de génération étant dès lors étroitement associées. C'est là la différence par rapport à la période antérieure où la notion de génération renvoyait à la vie adulte. Depuis les années 1950, la notion de génération est synonyme de jeunesse.

Selon la seconde hypothèse, le rendez-vous décisif avec l'histoire est pris « au temps des amours », comme l'écrit joliment Préel. C'est à cet âge qu'on est le plus réceptif aux influences du temps et que s'opèrent les choix de vie. On peut reporter sur les deux axes d'une matrice les périodes et les âges du cycle de la vie : enfance et jeunesse, temps de l'apprentissage, nidification et maturité, temps de pouvoir, retraite et vieillesse, temps du déclin. Le temps permet aussi d'identifier par générations les événements historiques qui influencent nos valeurs et nos perspectives, les événements (économiques, sociaux, politiques) correspondant aux facteurs externes qui affectent notre style de vie actuel et à venir, les rites de passage qui montrent comment les personnes expriment différemment leurs valeurs à différentes étapes de leur vie. Les vécus des générations diffèrent au Canada, aux États-Unis, en Europe de l'Ouest, en Europe de l'Est, et plus encore en Orient. Ils débouchent sur autant de représentations différentes du monde.

On peut aussi faire du « choc des générations » une utilisation personnelle et familiale. Si vous vous comparez à votre génération telle qu'elle est décrite dans ce chapitre, il est probable que vous ne vous y identifierez pas complètement (voir le tableau des générations en annexe à la fin de ce chapitre ; les thèmes énumérés permettent de réfléchir sur ce qu'ils représentent pour chaque génération et de faire le lien entre les générations). Le fait d'appartenir à une génération donnée ne détermine pas nos comportements au point que la position sociale, le niveau de formation, la culture et la personnalité de chacun puissent être considérés comme secondaires. Chaque classe d'âge, chaque sexe, chaque groupe social réagira à sa façon aux événements historiques. Aucune génération n'est totalement homogène, même si elle présente des caractères dominants. En se reportant aux caractéristiques décrites dans le tableau des générations, chacun pourra reconnaître ses différences. Un exercice salutaire à tout âge de la vie et qui incite à relativiser son ego.

La génération silencieuse (1901-1944)
La génération silencieuse a grandi au milieu des périls (deux guerres mondiales, deux longues dépressions), auprès de parents optimistes. Puis une période de longue croissance a suivi lorsqu'elle a atteint l'âge de la maturité, ce qui a exigé d'elle une grande force d'adaptation. C'est une génération « mutante » dans le sens où elle a connu une rupture, ou tout au moins un tournant, au moment d'assumer ses pleines responsabilités adultes : tout ce qu'elle avait appris et à quoi elle croyait a alors été contredit par le nouveau cours des choses. Ces travailleurs se rappellent peut-être que, dans leur jeunesse, c'est à long terme qu'on faisait des plans

de vie, qu'on nouait des engagements et des solidarités. Aujourd'hui, ils se demandent ce qu'il reste de cette idée de «long terme» et ils sont bien embarrassés lorsqu'ils doivent l'expliquer à leurs cadets, qui ne partagent pas leurs souvenirs, mais tirent leur connaissance du monde de ce qu'ils voient autour d'eux. Comme me le précisa un homme de 75 ans lors d'une conférence: «Vous n'imaginez pas à quel point je me sens idiot quand je parle d'engagement à mes petits-enfants. Pour eux, c'est une vertu abstraite; ils ne la voient nulle part. »

Au sein de cette génération traditionnelle, on doit distinguer la génération bâtisseuse (1925-1935). Elle entre dans le monde du travail et en sort en pleine crise. Elle est trop jeune pour avoir participé à la Seconde Guerre mondiale. Elle bénéficiera d'une longue retraite active. Elle présente les traits d'une génération sandwich, prise entre la génération du Krach plongée dans la guerre et celle des années 1968 qui a connu la révolution culturelle. Elle a en quelque sorte raté son rendez-vous avec l'histoire, c'est-à-dire avec la guerre et la libération sexuelle.

Pour les hommes et les femmes de la génération silencieuse, l'urgence de l'essentiel s'est manifestée dès la naissance. Ils apprécient un système hiérarchique clairement défini. Ils font confiance aux institutions. Ils sont conformistes. Ils n'aiment pas puiser dans leurs économies. Pour caricaturer, il s'agit de l'homme pourvoyeur, pour lequel c'est à la fois un honneur, une forme de dignité et un devoir d'assurer tous les jours un repas à sa famille; et de la femme confinée à un rôle de mère au foyer, toujours soucieuse de sa famille, tenaillée par la hantise quotidienne de ne pas savoir et, surtout, de ne pas *avoir* suffisamment pour tous. Les enfants de cette génération passaient rapidement de l'enfance à l'âge adulte.

On se mariait jeune. On s'attendait à ce que le jeune contribue aux besoins de la famille.

Cette génération est marquée par le besoin de créer des liens, avec l'au-delà, que ce soit par la prière ou la présence à l'église, ou simplement avec les proches, à travers les réunions familiales du dimanche. La création de liens, voilà qui décrit avec justesse cette génération. À ses yeux, il ne faut pas tout dire, on ne peut tout faire, il faut seulement agir au jour le jour, sans penser au lendemain, et faire confiance. Elle a tendance à tout économiser, à ne rien jeter. Cette génération née avant la guerre a inauguré le devoir d'agir, le devoir de croire, de tenir la main de l'autre et de ne jamais le quitter, de conserver sa culture, ses croyances, ses pensées. Son leitmotiv: aider l'autre à tout prix, se sacrifier pour l'autre. Rien d'étonnant à ce qu'elle ait été déroutée par l'arrivée du jetable après usage!

Pour reprendre les propos de Jean-François Revel (1924-2006), auteur, éditorialiste et directeur de la revue *L'Express* entre 1966 et 1981, «la vieillesse dans laquelle je suis entré, et qui ralentit toutes choses, me conduit à me retourner vers la sagesse des Anciens qui, à l'instar de Caton tel que Cicéron le fait s'exprimer dans son traité *De la vieillesse*, trouvaient dans le grand âge des motifs de satisfaction. Ne fait-il pas apparaître des qualités humaines qui nous manquaient dans notre existence antérieure? Le dernier mot est rarement celui qu'on croit».

La confiance – qui joue un rôle central dans la vie de la génération traditionnelle – ne trouve, en réalité, ses véritables conditions de possibilités psychologiques et culturelles que dans les jeux infiniment complexes et variés de la socialité *primaire*, jeux qui sont essentiellement fondés, comme on le sait, sur la triple «obligation» traditionnelle (qui n'est ni économique ni juridique) de *donner*, de *recevoir* et de *rendre*.

On reconnaît que la sagesse est l'un des rares réconforts du grand âge, mais elle ne voit pas que, en la considérant comme une simple consolation, on lui retire tout sens ou toute valeur plus haute. La réelle valeur de la sagesse accumulée au cours d'une vie réside dans le fait de pouvoir en faire bénéficier les générations futures. Or, notre société a perdu cette conception de la sagesse et de la connaissance. Elle s'attache à une vue instrumentale ; l'évolution technologique rend la connaissance perpétuellement caduque et par conséquent non transmissible. La génération traditionnelle ne peut rien enseigner à la jeunesse, selon la logique de ce raisonnement ; elle ne peut que lui fournir les armes affectives et intellectuelles qui pourront lui permettre de faire ses propres choix et de faire face à des situations « non structurées » pour lesquelles on ne dispose d'aucun précédent ou précepte fiable.

La génération des baby-boomers (1945-1961)

Succédant à une classe creuse, la génération des baby-boomers constitue une cohorte nombreuse et même une véritable déferlante. Mal prévue, elle est mal accueillie à chaque stade de sa vie. Tout a pourtant bien commencé pour elle, car elle arrive dans un climat de miracle économique permanent. Elle fait ainsi l'apprentissage de la vie au cours d'une phase « progressive », avant d'accéder aux responsabilités de la vie adulte durant une période critique « dépressive ». Il est difficile de gérer quand on a été programmé pour l'aisance. Il s'agit également d'une génération « mutante », mais à l'inverse de la génération du Krach. Elle réussit à détourner les effets de la crise sur les aînés, les « vieux », qu'elle chasse du travail en les mettant à la retraite anticipée, et sur les cadets qu'elle laisse lanterner dans des formations bidon.

La génération de la Crise (1956-1960) constitue le dernier wagon du baby-boom. Elle subit la rupture du « descendeur social », du progrès à rebours, phénomène qui n'était pas arrivé depuis longtemps. L'économie cesse de créer des emplois et, fait nouveau, les fruits de la croissance sont distribués autrement : ils bénéficient davantage aux détenteurs de capitaux et, sur le marché du travail, aux qualifiés et à ceux qui ont atteint l'âge mûr. À la précarisation de l'emploi correspond également une précarisation de la famille. Là encore, c'est une génération de rupture.

La génération des baby-boomers a réussi à se placer elle-même au-dessus des autres, à se constituer pour ainsi dire en une « race de seigneurs », mais qui occupe des places sans pouvoir en assumer les responsabilités. Elle veut les places, les fonctions, les grandeurs, mais elle n'en exerce pas les responsabilités et, caractéristique frappante, passe son temps à feindre de ne pas être là. On pourrait la définir par un mot : *participant*. « Je fais semblant d'être là. Je fais semblant d'être ministre, je fais semblant d'être directeur d'une administration centrale, je fais semblant d'être un employé, mais je n'en exerce aucunement les responsabilités, parce qu'elles sont contraignantes, et un jour on pourrait me juger sur l'exercice de ces responsabilités. » Cette génération ne supporte pas de prendre ses responsabilités, plus précisément d'adhérer à une action collective. Elle est habitée par un paternalisme étouffant, laisse aux autres le soin de la guider. La servitude continue de la hanter.

Rajeunir le vécu, tel a été le mot d'ordre de cette génération. Grâce à elle, tout serait permis. Et de fait, depuis 20 ans tout est possible. Cette permissivité a été transmise à la génération Y sans discernement, et elle est devenue l'ancrage de ces jeunes adultes. Ajoutons à cela la liberté sexuelle : la génération élevée dans l'abondance des choses voulait aussi jouir de la liberté des corps. Elle ne s'en est pas privée. La société du progrès née après la guerre a ainsi renouvelé, décennie après décennie, le réservoir de ses promesses. Il paraissait inépuisable. Philosophes, industriels, politiques et publicitaires s'employaient sans cesse à l'alimenter. Erreurs de jugement, naïveté et masques. En somme, cette génération de l'après-guerre nous donne l'occasion d'une réflexion édifiante sur l'univers des apparences.

Les baby-boomers hédonistes portent une lourde responsabilité dans cette dérive. À partir du milieu des années 1980, ils ont réveillé le culte du beau (sans qu'on le retrouve toutefois dans la vie quotidienne) et de l'argent facile. L'extravagante dérive des salaires au sommet des entreprises est un phénomène économiquement marginal mais socialement central : elle traduit ouvertement la césure survenue entre le travail et le capital et souligne la naissance d'une nouvelle caste de privilégiés en rupture avec l'éthique de gestion qu'ils prônent pourtant dans leurs entreprises. Comme le souligne Riccardo Petrella, «une société dont les membres rêvent surtout de devenir riches est incapable de penser à l'intérêt général».

Le phénomène du cocooning, et la forteresse qu'il est devenu, semblait inévitable : l'adhésion à la matérialité montre la faiblesse de nos défenses. Se construire autour d'un bunker bien personnel n'incite malheureusement que bien peu d'hommes et de femmes à se mettre en mouvement, à tenter de nouvelles expériences, de nouveaux défis, voire à se mettre en *danger*. Plus notre organisme social est protégé, moins il produit d'anticorps. Avant-hier, la citadelle de nos certitudes était inattaquable ; hier encore, elle était simplement assiégée ; aujourd'hui, elle attend dans l'angoisse le dernier assaut qui pourrait l'emporter. La génération X s'est donc installée au salon afin de recevoir ses directives et de rester bien au chaud.

Les plus âgés des baby-boomers ont eu 60 ans en 2005. Ils sont nés dans l'euphorie de l'après-guerre. Les usines se sont converties aux biens de consommation. Les baby-boomers ont grandi en se concentrant sur leur nombril et ils n'ont pas développé l'esprit de sacrifice qui avait aidé la génération traditionnelle à traverser les crises.

Après le tumulte politique des années 1960, les baby-boomers se sont repliés vers des préoccupations purement personnelles. N'ayant pas l'espoir d'améliorer leur vie de manière significative, les boomers se sont convaincus que ce qui comptait, c'était d'améliorer leur psychisme : sentir et vivre pleinement leurs émotions, se nourrir convenablement, prendre des leçons de golf ou de danse sociale, s'immerger dans la sagesse de l'Orient, faire de la marche ou de la course à pied, apprendre à établir des rapports authentiques avec autrui, surmonter la « peur du plaisir ». Sans danger en tant que telles, ces activités, promues au rang de plans d'action et enrubannées dans la rhétorique de l'« authenticité » et de la « prise de conscience », traduisent un éloignement de la politique et une répudiation du passé récent.

Chacun peut constater le résultat de ces dérives. Les sociétés occidentales dépriment. Non seulement elles ne savent plus espérer, mais elles ne savent plus désirer. La perte du sens de l'effort est le principal symptôme de la dépression chez tous ceux qui souffrent de cette affection. Il en est de même, à l'échelle de toute une collectivité, pour une société qui désespère.

Comment en sommes-nous arrivés là ? La génération née entre les deux guerres, celle de mes grands-parents, a voulu pour ses enfants une nation prospère dans une Amérique en paix. La génération de l'après-guerre a voulu une société libérée de ses pesanteurs et de ses injustices. La génération X (1962-1978), persuadée que le progrès social a une fin, cherche à préserver ce qu'elle a reçu sans être certaine que ses propres enfants bénéficieront des mêmes avantages qu'elle.

Les sociétés occidentales ne sont plus aujourd'hui qu'un conglomérat de groupes et de communautés aux intérêts trop souvent divergents. Le repli sur soi et le culte de l'individualisme ont très largement contribué à l'essoufflement de toute ambition collective. Seul le passé semble offrir des certitudes. D'où une société nostalgique où les trentenaires désabusés oublient de regarder l'avenir en face.

Tout changement est devenu à priori suspect. Or, toute société incapable de se réformer est une société qui, d'une certaine façon, refuse de s'engager. Cette peur de s'engager porte en elle le risque de l'immobilisme. Les repères sont devenus flous quand ils n'ont pas disparu. Alors que la névrose était la maladie de l'excès de l'autorité, nous assistons au contraire, depuis le milieu des années 1990, aux effets nuisibles de la carence d'autorité. Ce ne sont plus les pères qui servent de repères, mais les pairs : bande, quartier, clan, secte, communauté ethnique, sexuelle ou religieuse. Tous ceux qui détiennent une parcelle de pouvoir – hommes politiques, journalistes, syndicalistes, chefs d'entreprise – sont frappés de soupçon. La méfiance à l'égard des élites se traduit par une panne générale de la transmission des savoirs, à moins qu'elle n'en soit le reflet. Le concept même de savoir est devenu flou et incertain. Rien d'étonnant : les thèses relativistes sont omniprésentes, à la télévision bien sûr, mais aussi dans les milieux étudiants.

Les valeurs d'hier – rigueur, autorité, engagement, empathie, bienveillance, loyauté – se sont effacées au point de ne plus avoir aucune influence sur la nouvelle génération. La transparence l'a emporté sur la cohérence, la facilité sur la discipline, le dialogue sur l'écoute. Même les règles de grammaire, au prétexte qu'elles étaient bien trop normatives, sont devenues suspectes : l'école ne devrait plus être un lieu d'inculcation de la règle commune, mais de révélation de la performance personnelle. La multiplication des filières, des opinions et des formations a créé un maquis inextricable qui fait de l'orientation un véritable parcours du combattant. Il est temps de revaloriser le désir d'apprendre et de redonner du sens au savoir. Cela implique d'oser trier, hiérarchiser, ordonner ce qui est important et ce qui ne l'est pas, ce qui est nécessaire et ce qui ne l'est pas, ce qui est utile et à qui.

La génération X (1962-1978)

Inscrite à la charnière d'un changement de monde et d'un changement de siècle, la génération X (communément appelée les Nexus) a connu une situation dramatique et a désespérément tenté de s'en sortir, tout en faisant preuve d'une étrange lucidité sur la mutation en cours. Cette génération est conduite à se protéger contre le sida, contre le chômage, contre le conformisme – avec le chômage de masse, apparaît du reste la compassion pour les exclus. Majoritairement bachelière, elle voit pourtant son niveau de vie baisser. Rien d'étonnant si elle prolonge sa jeunesse en prolongeant ses études et en restant chez ses parents. Une sorte de compromis historique a ainsi été passé avec la génération précédente.

La génération X a tendance à déserter l'exercice consistant à penser par soi-même. Les membres de cette génération ont grandi dans un monde passablement différent de celui de leurs aînés (choc pétrolier, inflation, marché du travail fermé, etc.), en particulier ceux qui sont nés au cours des années 1961-1965. Ils ont découvert que l'Occident ne pouvait pas gagner toutes les guerres. Ils ont assisté à une brusque chute de la classe politique. Ils ont popularisé les couples à deux pourvoyeurs. Cette génération apprend des choses, mais elle consacre peu de temps à la pensée. L'intuition lui suffit, et elle se plaît à marauder parmi les savoirs et les idées des autres. Mais dans quel but ? « Nous avons besoin des autres pour nous accomplir mais pas pour nous définir. » Communément appelés les mobiles moraux, les membres de la génération X sont tellement préoccupés par ce que les autres pensent d'eux – la marque même de l'ego – qu'ils finissent par se diluer dans des personnages qui ne leur correspondent pas. En proie au vertige du dépassement ininterrompu, ils oublient de vivre. Ils ne cherchent qu'à se fondre dans la foule. La génération X moralise plus qu'elle ne s'engage. Comme le précise l'auteur-interprète Léo Ferré, « n'oubliez jamais que ce qu'il y a d'encombrant dans la morale, c'est que c'est toujours la morale des autres ».

Comment ne pas sombrer dans la morale ? Ou plutôt comment ne pas faire de la morale à outrance à n'importe quelle occasion, sous n'importe quel prétexte ? On devient moral, écrit Proust quelque part, dès qu'on est malheureux. Phrase étonnante, phrase profonde qui fait écho à Nietzsche citant Balzac : « Celui qui moralise ne fait en somme, comme disait Balzac, que *montrer ses plaies* sans pudeur. » Comment ne pas s'acharner à montrer ses plaies, comme autant d'appels à une punition généralisée ? Comment ne pas moraliser, même quand on est malheureux? D'où vient que la vertu ostentatoire apparaît automatiquement si proche du ressentiment et que, devant toute position morose et moralisante, remontent dans notre souvenir un père absent, une mère dépossédée. Conspiration du silence, boycott, interdiction manifeste ou non, refus de conscience pur et simple, il s'agit toujours de la même volonté d'empêcher, d'ignorer, d'altérer ou au moins de retarder le plus longtemps possible la reconnaissance de l'autre.

La génération X s'est mise en route auprès de parents affolés de défaire les conformismes, puis s'est hissée tout doucement vers un statu quo. Elle proclame tout haut : «On a fait du social là où il fallait offrir du travail ; on a distribué des subventions là où il fallait donner une formation.» Cette génération issue de la Révolution tranquille a grandi dans la promesse d'un avenir meilleur. Elle est cynique parce qu'elle a grandi dans une ère marquée par la détérioration des institutions sociales, religieuses, politiques, par les médias et la société de consommation des années 1980.

Toutefois, avec l'arrivée massive des femmes sur le marché du travail, cette génération est devenue particulièrement autonome et débrouillarde. Elle a connu l'éclatement de la famille. Pour elle, cohabitation, couple de même sexe, colocation et famille monoparentale constituent autant de façons de vivre. Comme elle veut qu'on tienne compte de ses besoins personnels, la génération X désire des conditions de travail sur mesure : horaires flexibles, formation adaptée, année sabbatique, etc. Avec la disparition de la permanence de l'emploi, la génération X possède une forte propension à l'entrepreneuriat (elle est responsable de 70 % de l'ouverture des nouvelles entreprises créées aux États-Unis) ou évolue en agent libre.

Cette génération, qui n'a pas les mêmes références culturelles que les baby-boomers, est aussi une génération sacrifiée, largement apolitique, égocentrique, qui préfère être marginale plutôt que de devenir un simple numéro dans une entreprise. Elle assimile et exprime l'information de façon intuitive. Elle a payé au prix fort les biens que les baby-boomers avaient acquis à meilleur prix avant l'inflation. Elle a grandi à une époque où les enfants n'étaient plus à la mode, leurs amis sont devenus leur vraie famille.

La génération Y (1979-1995)
Aujourd'hui âgés de 15 à 29 ans, les membres de la génération Y forment une jeunesse décomplexée. Le grand retour de la croissance, la révolution de l'informatique, la société de l'information lui donnent une force et des atouts que n'avait pas la génération X. Internet incarne bien la mutation en cours, et cette génération maîtrise les nouvelles technologies mieux que ses aînés. Les nouveaux équipements renforcent son indépendance. Ordinateur personnel, baladeur, téléphone mobile, autant de possibilités pour elle de s'évader de la cellule familiale. Un nouvel équilibre s'établit également entre les sexes.

Une nouvelle vague apparaît donc, à la fois *sur-éduquée* et sous-employée. Mais elle a retrouvé l'optimisme et le rêve dont la crise avait privé la génération précédente. Ces jeunes sont pragmatiques. Ils ont une vision élargie et recherchent des résultats à court terme – le court terme les accompagne du reste dans presque tout. Ils sont critiques, ne s'intéressent guère aux courants politiques et aux idéologies, et n'ont rien contre le commerce. De nombreux indices, tels que l'abandon du blue-jean, le fait de fumer plus jeune, le goût du danger sur la route et ailleurs,

88

permettent de pronostiquer qu'une rupture se dessine.

La génération millénaire ne prête donc aucune attention à ce qui ne relève pas de ses besoins immédiats. Ce qui compte, c'est le style, le panache, le talent de dire et de faire presque n'importe quoi. Une trajectoire ascendante, le pouvoir pour le jeune adulte n'est pas représenté par l'argent ou l'influence, mais par le dynamisme, une « image convaincante », une « réputation de gagneur ». Alexandre de répliquer : « Ne me faites pas confiance. Je me défie de la flatterie, de la loyauté et de la sociabilité. Je ne crois ni à la déférence, ni au respect, ni à la coopération. Je crois à la peur. »

Ces jeunes adultes sont issus d'un segment de la société relativement restreint et culturellement conservateur. Certains rejetteront les valeurs de leurs parents, comme cela s'est toujours fait. En somme, ils ont plus ou moins les mêmes valeurs que leurs prédécesseurs, mais ils n'ont pas les mêmes priorités et les mêmes séquences d'action. Ils suivent cette vieille règle selon laquelle on oublie ce qu'on entend, on retient ce qu'on voit et on comprend ce qu'on fait.

Aptes à se définir eux-mêmes en recourant à Internet, libérés des pesanteurs qui ont longtemps entravé la fluidité de la pensée, ces jeunes sont en mesure de s'adapter aux mutations technologiques qui traversent la société et entraînent dans leur sillage d'amples transformations économiques, psychologiques et sociales. Les garçons et les filles de la jeune génération ont peut-être des défauts, mais l'hypocrisie et le mensonge leur sont étrangers. Ils n'ont rien à cacher !

De plus, ils sont très ouverts au multiculturalisme et à l'internationalisme. Barthes a raison : ce n'est pas une puissance étrangère qui nous aliène, c'est le cycle de nos besoins et de nos satisfactions, c'est la vie en nous et son éternel retour. Dans une société vouée à la consommation, rien ne libère le soi de lui-même. Ce qui domine chez la génération Y, ce sont de grands nœuds vibrants de contradictions et de paradoxes, comme c'était aussi le cas pour les générations précédentes.

La génération Y est audacieuse et fantasque. Elle fait éclater la barrière des langues, la rigidité des systèmes, le statu quo, prône la vie avant tout. Ces nouveaux idéalistes sont les enfants de la mondialisation. Leur regard sur le monde n'est pas spécialement déterminé par les débats animés sur l'exploitation capitaliste dans le lointain Nicaragua, comme c'était le cas dans les années 1970, mais par la pauvreté qu'ils ont eux-mêmes constatée en traversant le Pérou, le Cambodge ou le Mali. « Ma maison, ça peut être mon sac à dos, pourvu que j'aie toujours une brosse à dents neuve. »

Parallèlement, Internet et le téléphone portable ont rendu le monde nettement plus petit. Les chaînes de courriels traversent la planète en un rien de temps : il suffit d'ajouter son nom aux autres pour faire preuve de solidarité. Afin de conduire sans polluer, ces jeunes se demandent combien d'arbres ils doivent planter pour neutraliser leurs émissions de gaz à effet de serre. Auparavant, lorsqu'on se préoccupait de l'environnement, on pensait qu'il fallait se débarrasser de sa voiture. D'innombrables jeunes idéalistes ont mis sur pied leurs propres projets d'aide, apportant eux-mêmes des médicaments en ex-Yougoslavie ou créant des écoles de village au Pérou.

Mais aussi intéressés qu'ils soient par le monde, ils ont grandi sans se confronter à l'autre et n'ont pas de sensibilité profonde. Quand ils cherchent à s'identifier à quelqu'un, ils se tournent souvent vers le passé. Cela les rassure, leur épargne le risque de se confronter. Cette attitude superficielle revient à se contenter de l'éphémère. De surcroît, en aimant l'homme du passé, ils s'aiment eux-mêmes. C'est le prolongement de la recherche de soi. Briller. Se distinguer. Revendiquer. Leur désir de renouvellement est vif. Il est aussi global. Il porte à la fois sur les raisons, les façons de faire et les façons d'être. La génération Y a une opinion sur tout.

Mais la principale caractéristique d'une société dominée par les opinions est le scepticisme général. Comme le dit si justement Henri Bergson (1859-1941), « notre esprit a une irrésistible tendance à considérer comme plus claire l'idée qui lui sert le plus souvent ». L'idée gagne ainsi une clarté intrinsèque abusive. À l'usage, les idées acquièrent ainsi une *valeur indue* et deviennent un facteur d'inertie pour l'esprit. Parfois une idée dominante polarise un esprit dans sa totalité. L'esprit préfère alors ce qui confirme son savoir à ce qui le contredit, préfère les réponses aux questions. L'instinct de conservation prend le dessus, et la croissance spirituelle s'interrompt.

Peut-on, comme le croit la génération Y, se prononcer sur tout impunément, autrement dit fonder ses actions ou ses croyances sur sa seule pensée, sur l'opinion qu'on se fait ? Une mise en garde s'impose. Nos opinions *pensent* mal ; plus précisément, elles ne pensent pas : elles traduisent des besoins en connaissances. En désignant les objets par leur utilité, elles nous interdisent de les connaître. On ne peut rien fonder sur l'opinion : il faut d'abord la détruire. Elle constitue le premier obstacle à surmonter. Et il ne suffit pas de la rectifier ponctuellement, tout en conservant une sorte de morale provisoire, tout en préservant une connaissance vulgaire provisoire. Avant tout, il faut savoir poser des problèmes. Rien ne va de soi. Rien n'est donné. Tout est construit.

92

Annexe — Tableau des caractéristiques générationnelles

	Génération silencieuse	Génération des baby-boomers	Génération X	Génération Y
PÉRIODE	1901-1944	1945-1961	1962-1978	1979-1995
POIDS DANS LA POPULATION	20 %	35 %	26 %	12 %
PART DE LA MAIN-D'ŒUVRE	5 %	45 %	35 %	15 %
PÉRIODES DE VIE	Enfant-travailleur Adolescent-adulte Adulte-résigné	Enfant-obéissant Adolescent-discipliné Adulte-plaignant	Enfant-imaginatif Adolescent-intuitif Adulte-moralisateur	Enfant-roi Adolescent-baladeur Adulte-revendicateur
TRAIT DOMINANT	Musellement Incertitude	Convoitise	Désenchantement	Négociation Dialogue
IDENTIFICATION	Appartenance collective	Bohèmes bourgeois	Mobiles moraux	Yo/cool Intense
RAPPORT À LA CONSOMMATION	Grande dépression Besoins de base	Prospérité économique Besoins diversifiés	Achat plaisir Attentes	Achat médias Désirs
SOI	Oubli de soi	Rajeunissement du vécu	Libération des mœurs	Séduction
PENSÉE	Religieuse	Rationnelle	Émotionnelle	Médiatique
FAITS	Tragique	Scientifique	Sociologique	Technologique

VALEURS ET CULTURE	Devoir	Culpabilité	Renoncement	Choix
QUÊTE	Survivre	Prospérer	Trouver son identité	Entrer en relation
ÉDUCATION	Protéger	Éduquer	Stimuler	Épanouir
ATTITUDE	Se conformer	Se distinguer	Jouer	S'affirmer
VERBE	S'assurer	S'approprier	S'éclater	S'afficher
EXPRESSION	Je dois	Je prends	Je ressens	Je vaux
CONFORT	Fonctionnel	Luxe	Liberté	Évasion
CULTE	Servir	Gagner	Réaliser	Image
SAVOIR	Savoir faire	Savoir faire faire	Savoir être	Faire savoir
BONHEUR	Prendre soin de sa famille	Réussir professionnellement	Se réaliser	Créer des liens
COMPORTEMENT	Discret	Familial	Individuel	Égoïste
RÉSEAU	Familial	Quartier, paroisse	Région, pays	International
COMMUNICATION	Réservée	Auditive	Expressive	Visuelle
INFORMATION	Conservatrice	Rationnelle	Intuitive	Séduisante
SANTÉ	Insouciance	Auto-surveillance	Psychotrope	Prévention

Chapitre IV

La convergence des générations

« Nous arrivons tout nouveaux aux divers âges de la vie, et nous y manquons souvent d'expérience, malgré le nombre des années. »

La Rochefoucauld (1613-1680)

« Si je demande à quoi juger que telle question est plus pressante que telle autre, je réponds que c'est aux actions qu'elle engage. »

Albert Camus (1913-1960)

Le choc des générations

Adopter une approche par générations exige évidemment de faire preuve de souplesse intellectuelle. Le découpage, comme il a été dit, est empirique, et les traits marquants de chaque génération n'estompent pas ceux des individus, des caractères et des destins. La génération est toutefois une clef universelle. L'histoire ne parvient généralement pas à abolir les frontières sociales, mais elle ouvre à la compréhension de notre société. En tenant compte des phénomènes en cours – allongement de la durée de la vie, vieillissement de la population, prolongement de la jeunesse, notamment à travers les études, rôle pivot de certaines générations, dont celui de la génération des années 1968 qui détient actuellement une bonne partie du pouvoir –, on dresse le tableau d'une société où les quatre générations décrites coexistent au fil de relations changeantes marquées par l'alternance du *conflit* et de la *coopération*. C'est là toute la complexité du présent.

Un tableau comparatif (1900-2000) des courants idéologiques des générations apparaît à la fin de ce chapitre dans le but premier de permettre au lecteur de prendre conscience à la fois des différences (sociologiques, économiques, politiques, familiales) et de l'évolution, au fil des années, des paradigmes (valeurs et croyances) qui occupent le quotidien de nos pensées et de nos actions.

Hormis la génération traditionnelle, ces générations ont en commun les attributs suivants : le «je», le paradoxe, l'univers de l'apparence, le rituel de l'urgence, le culte de l'immédiat, le souci hygiéniste, la disparition de l'autre, la peur intense de vieillir et de mourir, la fascination de la célébrité. Pour ces générations élevées dans le culte de l'hédonisme, du temps libre et du développement personnel, l'atterrissage sera douloureux, et le retour au réel brutal. Dans ces conditions, comment peut-on se plaindre de ne plus trouver d'*autre*, de ne plus trouver de *gens*, de *personnes*, et finalement de sens? C'est que l'autre, le tiers, la présence réelle, les personnes (ou plus exactement les relations entre les personnes) sont devenus de plus en plus imperceptibles, sans pour autant disparaître. Malheureusement, ces générations croient pouvoir combler ce vide avec leur *moi* insipide et souffrant, plutôt que d'essayer de rassembler les différences extraordinaires dont ils sont les témoins, et surtout de percevoir la nouvelle humanité qui se fait jour. À cet égard, la difficulté vient de ce que le lien défait entre les générations est en partie imputable au rôle des médias, à la prolifération des vertus de façade et aux images que chacun voit. Or, si chacun voit, rares sont ceux qui perçoivent. Tous voient l'apparence de l'autre, mais peu perçoivent ce qu'il est. Et ce petit nombre ne se hasarde pas à s'opposer à l'opinion d'une foule également engourdie par ce qu'elle entend.

À l'ère de la communication de masse, cela signifie donc nécessairement que le mensonge médiatique, la manipulation publicitaire et l'abrutissement spectaculaire (assuré par le showbiz et ses artistes inspirés) tendent à devenir une force productive directe.

La génération des baby-boomers prétend savoir toujours parfaitement comment les autres doivent s'y prendre. Les baby-boomers critiquent l'idéalisme des jeunes, qui veulent mener une vie agréable tout en ayant des idéaux. Ils pensent: «Si c'est agréable, c'est forcément mauvais.» Ils se préoccupent surtout d'eux-mêmes. Est-ce vraiment ainsi, avec cette insoutenable légèreté, qu'ont raisonné les enfants gâtés nés dans l'euphorie du baby-boom? Tout leur souriait, la croissance était au rendez-vous, la société de consommation entretenait le rêve que tout ou presque était devenu possible, le chômage n'était pas encore devenu un fléau… Et ils auraient vécu dans l'instant, en cigales, sans penser aux lendemains qui déchantent? Heureuse époque de l'embauche, où l'Occident croquait la vie à pleines dents et vivait d'espoirs faciles, fussent-ils égoïstes et vains.

À l'échelle plus modeste des comportements individuels, chaque génération tend à renier tout ce qui l'a précédé. Chacun aime à croire que ce qu'il fait est nouveau et inédit. L'ignorance et la paresse fournissent le prétexte pour éviter de regarder ce que l'histoire pourrait avoir à nous dire.

Tout récemment, le P.-D.G. d'une grande entreprise me disait: «Un jour, nos enfants auront 20 ans, 30 ans, 40 ans. Alors, pleins d'espoir et affamés d'avenir, ils comprendront que nous, les baby-boomers, leur avons laissé une société usée et mitée. Ce jour-là, ils nous haïront. Et ils auront raison.» Cruel constat pour une génération de parents qui croyaient avoir inventé le bonheur, sans se douter que leur inconscience précipiterait la société au bord du gouffre. C'est bien là le paradoxe des baby-boomers: la société hédoniste qu'ils ont construite est devenue quasiment inaccessible à leurs enfants. Et les avancées sociales réelles auxquelles ils ont contribué s'avèrent ruineuses pour ceux qui devront les financer: toujours leurs enfants.

Il n'est pas très original de le dire, mais je suis sûr que vous tomberez d'accord avec moi pour dire que la façon dont on se voit reflète l'image que l'on montre à autrui. Rien ne réussit mieux que l'apparence de la réussite.

Dans une société où le succès est sa propre définition, les générations issues de la modernité ne peuvent mesurer leurs accomplissements qu'en les comparant à ceux d'autrui. La satisfaction de soi-même dépend de l'acceptation et de l'approbation publique, et ces dernières ont elles-mêmes changé de nature. Jadis la bonne opinion qu'amis et voisins pouvaient avoir d'un individu indiquait à celui-ci qu'il s'était révélé utile à sa communauté, car cette opinion reposait sur ses accomplissements, ses réalisations. Aujourd'hui, les individus recherchent l'approbation non de leurs actions, mais de leurs attributs personnels. Ils ne souhaitent pas tant être estimés qu'admirés. Ils cherchent moins à acquérir une réputation qu'à connaître l'excitation et les éclats de la célébrité. Ils veulent être enviés plutôt que respectés. L'orgueil et l'âpreté au gain ont fait place à la vanité. Pour la plupart des Occidentaux, le succès est encore synonyme de richesse, de renommée et de pouvoir, mais leurs actions montrent qu'ils s'intéressent peu, en fait, à ces attributs pris substantivement. Ce que la personne accomplit importe moins que le fait qu'elle soit « arrivée ». Alors que la réputation ou la renommée dépendent de faits remarquables, loués dans les biographies et les ouvrages d'histoire, la célébrité – récompense accordée à ceux qui projettent une image plaisante ou haute en couleur, ou qui sont parvenus à attirer l'attention sur eux – est acclamée dans les grands moyens de diffusion et d'information, dans la « rubrique des potins », les entretiens radiodiffusés ou télévisés, les magazines consacrés aux « personnalités ». La réussite en ce monde a toujours eu un côté poignant, dû à la conscience « qu'on ne peut l'emporter avec soi » ; mais, à présent, le succès est tellement fonction de la jeunesse, de l'éclat et de la nouveauté, que la gloire est plus éphémère que jamais ; ceux qui ont gagné l'attention du public ne cessent de craindre de la perdre.

Avec les moyens actuels, l'humanité aurait véritablement la possibilité de construire un avenir meilleur. Mais l'envie fait défaut. Toute l'énergie déployée se résout dans une profusion d'objets qui ne survivront pas à leur propriétaire, dans une consommation effrénée qui épuise la planète et reporte le poids des dettes sur les générations à venir. Le message subliminal envoyé aux générations futures est le suivant : « Elles nous jugeront arriérés, alors qu'elles se débrouillent. »

Ce qui différencie le comportement moral, au sens strict, des conditions traditionnelles fondées sur le sens de l'honneur ou la coutume, c'est l'intériorisation des obligations de donner, de recevoir et de rendre – autrement dit, l'acquisition de la capacité d'agir « en son âme et conscience », et non plus seulement en fonction du regard d'autrui et de la réputation sociale.

Le bonheur plus difficile

Paradoxalement, les progrès de notre modernité ont rendu le bonheur plus difficile. On constate de plus en plus que les choses ne sont plus ce qu'elles sont, mais ce qu'elles génèrent. Un rappel est nécessaire. Il existe une alternance de périodes d'inquiétude et d'apaisement, de chagrin et de consolation, de privation et de satisfaction, qui donnent le sentiment d'être vivant et provoquent le sentiment qu'on appelle bonheur. Pourquoi le bonheur est-il plus difficile ? Selon certains médecins-anthropologues, plusieurs pathologies physiques et psychiques modernes trouveraient leur origine dans un décalage excessif entre les conditions d'existence contemporaines et celles qui permettraient un épanouissement des facultés réelles de l'individu.

Nous avons modifié si radicalement notre milieu que nous devons maintenant nous modifier nous-mêmes pour pouvoir y vivre. L'homme doit désormais s'adapter au nouveau milieu qu'il a créé par et pour le développement technique et économique, et cet objectif est consciencieusement poursuivi. On trouve d'un côté des personnes frustrées, faute de moyens financiers, des produits de consommation qui s'offrent à leur convoitise comme autant de vecteurs du bonheur, et de l'autre des personnes non moins frustrées de constater que ces produits n'ont pas les vertus espérées. Pour emprunter une phrase de Robert Musil : « C'est comme une bande d'enfants inconnus que l'on observe avec une gentillesse apprise et une angoisse grandissante parce qu'on n'arrive pas à y découvrir le sien. »

Telle est la situation actuelle de notre subjectivité : nous nous découvrons en exil dans le monde qui prétend la combler ; et, contre cet état de fait, nous n'avons rien d'autre à faire valoir que notre souffrance. C'est pourquoi la dépression (1960 : la dépression était liée à la culpabilité. 1990 : la dépression est liée à la responsabilisation d'où domine l'insuffisance – obstacles à l'action) est devenue un lieu de passage si fréquenté dans les sociétés occidentales, une sorte d'« expérience initiatique » de notre temps, dont l'organisation sociale s'emploie à déjouer le sens en la réduisant à un désordre pathologique parmi d'autres, relevant d'un traitement médical. Le génie chimique, loin de pâtir des résistances au monde qu'il contribue à bâtir, y trouve l'occasion d'étendre son empire : il est non seulement à l'origine de la pléthore de produits qui alimentent le marché, mais il fournit aussi des substances adaptant les hommes à cet univers de produits en les y fondant. Ayant échoué à façonner le monde idéal, nous attendons maintenant le salut d'une technique qui nous rende heureux du monde tel qu'il est, quel qu'il soit.

Tandis qu'on travaille à modifier l'individu pour l'adapter à son nouveau milieu, ce milieu continue à évoluer, nécessitant une nouvelle adaptation. D'une manière générale, le développement, tel qu'on l'entend depuis les 15 dernières années, réduit certains risques mais en crée d'autres, ce qui rend nécessaires de nouvelles solutions technologiques qui créent à leur tour de nouveaux risques. Dans cette course-poursuite, il semble désormais que l'écart s'agrandisse. L'inflation sécuritaire, la multiplication des seuils, des normes, des protocoles et autres appels à l'innovation traduisent cette réalité à une rapidité telle qu'on propose des nouveautés pour les remplacer par d'autres. Dans un monde où tout va plus vite, les vertus de la rigueur ont parfois tendance à être négligées. La sphère esthétique est celle de l'immédiateté ; la sphère de l'éthique celle de l'exigence.

Ivan Illich (1926-2002) a montré que toute technique, développée comme moyen en vue d'une fin, a tendance, passé un certain stade d'expansion, de perfectionnement et d'institutionnalisation, à devenir une fin en soi, qui produit plus de nuisances qu'elle ne rend de services. Le changement a, en principe, cette vertu minimale de dissiper l'ennui : mais il y a toujours suffisamment de mauvaises choses à changer dans le monde pour qu'échapper à l'ennui ne réduise pas à se défaire des bonnes choses, sans compter qu'un changement permanent finit lui-même par lasser. Tout cela a un prix, très élevé. L'individu désaffilié peut oublier le collectif. Mais le collectif, lui, n'oublie pas l'individu. Quand les institutions, les traditions exerçaient des contraintes, elles contraignaient tout le monde. Quand elles s'effacent, elles libèrent l'individu – mais elles libèrent tous les individus.

Rien ne peut être raisonnablement considéré comme appartenant en propre à une génération. Le bien-être d'une génération n'est jamais sans lien avec la misère d'une autre. De même, chaque génération est entraînée dans le sillage de la mondialisation, et personne ne peut s'y soustraire. Les liens humains se sont sans doute agréablement assouplis, mais c'est aussi ce qui les rend terriblement peu fiables, et la solidarité est aussi difficile à pratiquer que sont difficiles à comprendre ses avantages et, plus encore, ses vertus morales. Le nouvel individualisme, l'affaiblissement des liens humains et la décadence de la solidarité devront donc faire l'objet d'une réflexion longue et ardue de la part de chacune des générations. L'heure des comptes est imminente.

Les jeunes adultes sont de plus en plus conscients que l'avenir sera synonyme de plus de choses en plus petite quantité. Toutes les entreprises ont maintenant compris l'importance d'offrir une multitude de services, c'est-à-dire de faire vivre au consommateur une expérience unique et variée. Retrouver divers produits autour de la même surface, garantir que toutes les particules sensorielles seront au rendez-vous.

Toutes les générations ont été conscientes que la connaissance du réel est une lumière qui projette toujours des ombres. Jusqu'à présent, on attendait d'un enfant qu'il accomplisse sa vie dans la dignité et l'honneur. Le seul discours qu'on entend aujourd'hui dans les familles demeure la réussite professionnelle. Nous sommes entièrement libres et exposés à une dictature originale et inattendue, celle de la satisfaction et des objets de satisfaction. Nous sommes devenus des fétichistes de la bagnole, de la télévision, des loisirs, des fringues, des marques, des neuroleptiques. Or, tout ce qui dégrade la culture raccourcit les chemins qui mènent à la servitude. Mais il faut plaire, paraît-il, et pour plaire, se coucher. Ce livre est un appel à rester debout.

Les acteurs de la mondialisation se déplacent à un rythme effréné... L'Inde remplit pendant la journée les feuilles d'impôt de l'Amérique qui dort, tandis que les chefs d'entreprise new-yorkais débordés font appel à des secrétaires à distance installées à Bangalore. À la même minute, les sociétés japonaises délocalisent leurs centres d'appels à la frontière chinoise, tandis que les statuettes de la Vierge protectrice de Guadelupe, au Mexique, sont fabriquées en Chine. La Chine et l'Inde produisent, chaque année, plus de diplômes en génie que les États-Unis. Quand un ouvrier roumain part cueillir des fraises en Espagne, c'est un Chinois qui le remplace dans son usine textile. Des industriels européens font aujourd'hui appel à de la main-d'œuvre chinoise pour faire tourner leurs usines. Jusqu'à quand ?

Le mot de « mondialisation » recouvre des choses différentes qu'il faudrait soigneusement distinguer. Certaines peuvent changer du jour au lendemain, comme les politiques de libre-échange ou les coûts artificiellement bas des transports de marchandises. D'autres, au contraire, s'inscrivent durablement dans le temps, comme les nouvelles technologies de l'information et de la communication.

Dans le monde d'hier, les ouvriers étaient tous peu ou prou dans la même position : soumis à la même règle, la même discipline. Ils étaient incités à unir leurs forces pour améliorer leur sort. La grève, pour ne prendre que cet exemple, était une arme efficace : patrons et ouvriers dépendaient les uns des autres. Ce n'est plus le cas. La délocalisation permet aux employeurs de se passer éventuellement de leur salariés. La dépendance est désormais à sens unique. Parallèlement, les techniques de management ont changé. Il appartient désormais aux salariés de rivaliser pour attirer l'attention de l'encadrement ; ils se voient les uns les autres comme des concurrents potentiels. La lutte pour l'égalité perd dès lors de sa substance.

Dans la modernité « solide », la façon d'« être en société » était verticale : on parlait « carrière », « développement », « progrès ». En filigrane, il y avait l'idée qu'il existait une sorte de standard du bonheur valable pour tous, au regard duquel on souhaitait une plus grande égalité. Aujourd'hui, la façon d'être en société est horizontale : il ne s'agit plus de progresser sur une échelle, mais de déployer en permanence de nouvelles compétences dans un environnement mouvant. L'important est de se différencier, non d'être conforme.

Les disparités « verticales » d'accès aux biens et aux valeurs universellement convoités explosent sans provoquer de véritable résistance. Parallèlement, les différences « horizontales » sont de plus en plus célébrées et promues par tous les pouvoirs. Les luttes pour la reconnaissance sont l'ersatz contemporain des révolutions : on ne se bat plus à propos de la forme que prendra le monde de demain, mais pour avoir sa place à la table dans ce monde-ci. Dans ce contexte, la conception de la justice s'incarne dans la parité : on exige moins l'égalisation des conditions que la reconnaissance de droits identiques pour chaque groupe, aussi minoritaire soit-il. Il ne s'agit plus d'être égaux, mais d'obtenir pour chacun le droit de rester différent, sans risquer pour autant d'être exclu de la partie.

Ce n'est pas un hasard si la « modernité liquide » (expression empruntée à Zygmunt Bauman, un des sociologues les plus importants de notre époque, auteur de *La Société assiégée*, Rouergue/Chambon, 2005) entretient un véritable culte des célébrités de la chanson ou du football, sans qu'on s'indigne de

106

les voir gagner des milliards. Et ce n'est pas parce que les fans espèrent gagner un jour autant d'argent que leurs idoles. En l'absence de tout projet de « bonne société », chacun est en quête de modèles pour mener sa propre vie. Les célébrités s'offrent comme autant d'exemples d'individus ayant réussi à maîtriser cet art délicat. L'intérêt qu'on porte à leurs secrets d'alcôve, à leurs habitudes vestimentaires ou à la composition de leur réfrigérateur ne relève pas du simple amour des potins : il remplit la fonction à laquelle s'essayaient autrefois les programmes politiques.

Sur le plan relationnel, nous vivons dans une constante ambivalence. Oui, nous avons plus que jamais besoin d'amis dévoués, d'amoureux fidèles. Ils sont notre filet de sécurité, notre assurance de ne pas être seuls face aux remous de l'existence. Mais les conditions de la vie moderne nous font redouter plus que tout de nous lier les mains par ces attaches puissantes. Les engagements durables et inconditionnels du type « jusqu'à ce que la mort nous sépare » sont de plus en plus perçus comme des pièges. En effet, dans un environnement qui change en moins de temps qu'il n'en faut pour le dire, il ne s'agit plus tant de construire son avenir que de ne pas l'hypothéquer. D'où la tendance à se préserver des portes de sortie, à veiller à ce que toutes les attaches soient temporaires, valables « jusqu'à nouvel ordre ».

La fraternité, qui se concevait comme une métaphore de la relation familiale, sûre, inconditionnelle, irrévocable, était l'idéal d'un monde dont les structures visaient à attacher les êtres par des nœuds difficiles à défaire. Cette conception est désormais contre-productive. Les hommes et les femmes forgent plutôt leurs liens sur le mode du réseau, qui permet de se connecter comme de se déconnecter. En Angleterre, les bars pour célibataires, lieux de rencontres très prisés jusqu'ici, sont sur le déclin en raison du succès croissant des sites de rencontres sur Internet. Pourquoi? Parce qu'«on peut toujours appuyer sur la touche supprimer», comme le déclarait un jeune homme de 26 ans à un grand quotidien britannique. Le réseau offre à la fois le sentiment rassurant d'être entouré et l'idée gratifiante de contrôler ses relations. L'individu crée son réseau et le recompose selon son bon plaisir. Mais nul ne peut être parfaitement heureux dans ces conditions. Nous vivons l'âme écartelée.

Le repli sur soi

Cependant, la génération millénaire refuse de subir le présent. Nous assistons donc graduellement à l'émergence d'un nouveau credo, le mouvement altermondialiste, qui repose sur l'idée qu'un autre monde est possible. Oui, un «autre monde est possible», comme le scandent maintenant les altermondialistes qui ont habilement récupéré ce thème tout en ayant le mérite de l'avoir configuré en slogan. Surtout, ils ont eu la capacité de l'avoir fait plus largement connaître. En fait, l'idée existait depuis vingt ans déjà avec l'émergence même du concept de développement durable – proclamé officiellement, il y a plus de dix ans, lors de la Conférence de Rio et mieux défini depuis par son arrimage avec l'idée plus récente de «sécurité humaine».

Pour comprendre «le repli sur soi de la nouvelle génération», il faut revenir au début de la dernière décennie et s'attarder à l'injonction «Fais ce que tu veux, mais sois performant». Travailler plus? Impensable. Les mentalités ont changé. Les nouvelles générations ont pris goût aux loisirs et ne valorisent plus le travail. Et les baby-boomers aux commandes depuis 25 ans y sont pour beaucoup. La génération

108

Y préfère se dire : « Nous, on ne veut pas rater notre vie et, s'il le faut, on est prêts à être payés moins et à travailler moins. »

On a l'âge de son temps bien plus que celui de ses artères. Et si notre temps est plus ridicule que puéril, c'est avant tout l'entrain qu'il met à se *puériliser* sans retour qui le rend ridicule. Par se *puériliser*, j'entends être transgressif et conflictuel pour se conformer à la norme, être obscène pour être normal, contestataire pour être convenable, résistant et combattant pour être convenu et contenu. Et le plus mystérieux, en fin de compte, ce n'est pas que la plupart de nos contemporains épousent les aspects les plus nébuleux de notre époque, c'est qu'ils éprouvent un tel ravissement à le faire et le fassent avec un tel soin. L'énigme n'est pas tant qu'ils retombent en enfance, mais qu'ils le désirent.

Nous assistons ainsi à la « montée des puérils ». L'enfance est considérée comme une nationalité à part entière ; la culture se fonde sur le jeu et non sur le travail ; et les conjugaisons au passé et au futur se retrouvent même abolies. Dans ces conditions, les jeunes adultes auront-ils les repères nécessaires pour ne pas accoucher tout simplement d'un nouveau désir de servitude ? On ne souhaite plus que du plaisir, aucune contrainte, aucune responsabilité, voire aucun mal. C'est l'apothéose du Bien, mais un Bien devenu obèse et obscène car il ne *comprend* plus le Mal, dans tous les sens du terme « comprendre ». Tandis que le Mal se désincarne, le Bien devient obèse à l'image de ces obèses nord-américains, dont les corps prolifèrent au mépris de toute idée de séduction, telle une parodie de l'exigence de croissance où nos sociétés se sont piégées, dans une singerie monstrueuse de notre idéal du progrès.

À cet égard, on pourrait accabler la publicité de tous les maux. Les choses ne sont pourtant pas si simples. La publicité a beau sortir ses griffes et être omniprésente, elle fonctionne sur le mode de la *séduction*, et non sur celui de la manipulation, de la coercition, du contrôle totalitaire des consciences. Désormais, rien n'est plus obligatoire, tout devient optionnel. Systématiquement, et dans chaque secteur de l'activité humaine, les formules à la carte remplacent la contrainte et la discipline. La génération Y a repris à son compte ces nouvelles modalités. Qu'ils s'efforcent de ressembler à leur idole, arborent un look de star, portent des vêtements dignes de la télé-réalité, se maquillent de façon outrancière ou adoptent une coupe de cheveux androgyne, les jeunes adultes s'adonnent à une consommation généralisée, à la fois verbale, musicale et vestimentaire. Cela traduit la période de doute et de recherche de soi que traversent tous les jeunes adultes. Mais il est difficile de ne pas établir de parallèle avec l'ambiguïté qu'affichent leurs parents accrochés à leur adolescence. Et comment ne pas y voir, comme le soutiennent nombre de jeunes adultes, « une forme de thérapie nécessaire pour extérioriser les angoisses et les difficultés » ?

La génération millénaire est une masse composite, changeante mais obstinée. Depuis quelques années, elle râle, proteste contre toute structure, toute réforme, toute contrainte... mais elle s'élève également contre leur absence. Étonnant paradoxe. Ce sont les jeunes adultes qui se ruent contre le « système » pour y ouvrir une brèche afin de clarifier les normes et les règles. Mais diffère-t-elle en cela radicalement des générations précédentes ? Il y a en réalité beaucoup de similitudes entre les attentes des différents groupes d'âges. À quelque génération que nous appartenions, nous avons sensiblement

110

les mêmes motivations. Toutefois, ces attentes se sont manifestées à des périodes différentes. Ainsi, c'est autour de la quarantaine que les baby-boomers ont exprimé leurs besoins (désir du respect et de reconnaissance, volonté d'avoir du temps pour soi, de concilier travail et vie personnelle), ce que la génération X a fait au début de la trentaine, et la génération Y dès le début de la vingtaine. Parions que la nouvelle génération exprimera les mêmes attentes plus tôt encore.

Autrefois, on avait de l'âge adulte une image claire et solide. Mais, l'avenir ayant cessé d'être radieux, pourquoi rêverait-on désormais de la maturité ? Pourquoi voudrait-on grandir, vieillir ? Tout se passe comme si nous n'arrivions plus à envisager l'idée de la continuité, du sens des âges, alors que nous n'avons jamais eu autant de chances de les vivre tous. Mais dans quelle confusion, avec quelle incertitude ! L'enfance est un problème, l'adolescence est interminable, la maturité est introuvable et la vieillesse est une ennemie. Cette angoisse (esprit divisé) laisse présager un scénario de disparition des âges. Jadis, on pensait qu'il y avait «un temps pour tout»; maintenant, on rêve que tout soit possible à n'importe quel âge. Une société américaine fabriquant des produits antiâge a même adopté le slogan « *Stop aging, start living*»: arrêtez de vieillir, commencez à vivre, ce qui revient à fantasmer une vie débarrassée de l'âge. Nous n'en sommes pas encore là ! Mais une chose est évidente, plus personne ne veut «faire son âge». Les enfants sont adolescents très tôt, la jeunesse prend le pas sur tous les âges au point qu'on la veut immuable et que les vieux en veulent une seconde.

Au moment de l'adolescence, l'exigence d'authenticité entre en concurrence avec celle de grandir. Être ou devenir, telle est la question cruciale que se pose l'adolescent. C'est pourquoi ce premier âge de l'authenticité peut déboucher sur deux premières voies, selon que le jeune affirme sa particularité (au risque du conformisme) ou sa généralité (au risque de la vacuité). La condition adolescente est vouée à cette double contrainte : affirmer haut et fort son moi et refuser toute restriction des possibles. Être soi et être tout. Narcissisme et ironie coexistent dans le processus de construction de l'identité.

L'âge adulte est en crise. Pendant des siècles, il a été le modèle à atteindre. En atteignant la maturité, les êtres humains accédaient à ce qu'il y avait de plus grand en eux. Aujourd'hui, l'adulte est avant tout un « être qui n'a pas le temps », qui est prisonnier des contraintes du quotidien, comme sous l'emprise du monde réel. D'où vient cette crise ? Ce ne sont pas les causes qui manquent : allongement de la durée de la vie, brouillage des frontières entre les âges, mutations démographiques et sociales, émergence des femmes comme individus à part entière (il n'y a pas si longtemps, « viril » et « adulte » étaient des synonymes), remise en question du rôle de père de famille, de travailleur et de bon citoyen. Plus généralement, l'exigence d'« être soi-même » est un facteur d'angoisse. Qu'est-ce qu'être soi-même quand tous les repères vacillent ? Quand règne la hantise que ce *moi* sacralisé ne soit qu'un néant ? Quand on prend conscience que *réussir dans la vie* ne signifie pas *réussir sa vie* ? Autrement dit, quand on saisit que le caractère consiste, pour reprendre les propos de Kant, à se donner « pour maxime suprême la véracité dans l'intériorité de l'aveu à soi-même et en même temps dans la conduite à l'égard de tout autre ».

Le visage du jeunisme

Il y a en effet une échelle des âges dont il faut gravir les barreaux. Dans les sociétés traditionnelles, la vieillesse constitue le sommet, pour autant qu'elle nous rapproche du passé fondateur. Pourtant, ne surestimons pas trop ces temps : si la vieillesse est alors valorisée, les vieillards sont souvent négligés ; tandis que notre époque qui déteste le grand âge fait tout pour préserver ses vieux.

L'inquiétant dans ce nouveau visage du jeunisme, c'est que l'héritage et la transmission semblent avoir disparu corps et biens. Entre les générations, qui incarnent les unes pour les autres des époques différentes, il n'y a plus de transmissions ni de conflits possibles faute de terrain commun. La menace, dans cette perspective, c'est l'indifférence à l'égard des générations qui ont précédé et de celles qui vont suivre, la transformation accélérée de chacun en *has been*, en ringard dépassé par le mouvement du changement continuel. Nous en revenons à la crise de transmission, laquelle revêt deux aspects : l'incertitude croissante quant à ce qui demeure digne d'être conservé et transmis de l'héritage du passé, et l'incertitude quant à la nature du lien qui doit s'établir, à chaque âge, avec les autres âges, incertitude qui affecte la représentation des devoirs envers l'autre en tant qu'il appartient à une génération différente. Qu'ai-je à apprendre de l'autre ? Qu'ai-je à lui apprendre ? Les réponses ne vont plus de soi.

Pourquoi grandir ? Il fut un temps, pas si lointain, où la question ne se posait pas. Sans remonter à l'époque où le passage à l'âge d'homme était minutieusement réglé par des rites et des obligations imposés à l'individu, où grandir signifiait accéder à un rang social hiérarchiquement supérieur, on trouvera dans la littérature moderne maints témoignages du désir passionné de devenir adulte. Il se produisait jadis, remarque Stefan Zweig, « ce qui serait aujourd'hui presque incompréhensible : la jeunesse devenait une entrave dans toutes les carrières, et seul un âge avancé constituait un avantage. Tandis que de nos jours, dans notre monde complètement changé, les quadragénaires font tout pour ressembler aux hommes de trente ans, et les sexagénaires à ceux de quarante, tandis que la juvénilité, l'énergie, l'activité et la confiance en soi favorisent et recommandent un être, dans cet âge de la sécurité, quiconque voulait s'élever était obligé d'avoir recours à tous les déguisements possibles pour paraître plus vieux qu'il ne l'était. Les journaux vantaient des produits pour hâter la croissance de la barbe, de jeunes médecins de vingt-cinq ou trente ans qui venaient passer leur examen portaient des barbes majestueuses et chargeaient leur nez de lunettes à monture d'or, même s'ils n'en avaient nul besoin, à seule fin de donner à leurs patients l'impression qu'ils avaient de l'expérience. On s'imposait le port de la longue redingote noire, une démarche grave et si possible un léger embonpoint, afin d'incarner cette maturité si souhaitable ; et qui avait de l'ambition s'efforçait de donner congé, au moins dans son apparence extérieure, à cette jeunesse suspecte de légèreté… » (*Le Monde d'hier*, Belfond, 1993).

Jusqu'aux années 1960, rien n'indiquait que le désir des jeunes gens d'intégrer le monde des adultes puisse s'atrophier. L'abaissement de l'âge du mariage, qui s'est produit entre 1945 et 1965, traduit encore la vigueur de ce désir : « L'adolescent révolté avait pour vocation à faire un adulte précoce », écrit à ce propos Marcel Gauchet. Sans qu'on puisse affirmer que le désir de rejoindre le monde adulte ait disparu, force est d'observer qu'il n'a plus la

114

même puissance et ne revêt plus la même impatience. La révolution individualiste est passée par là : l'autorité s'est décomposée dans les familles et à l'école, les jeunes sont nourris de produits de consommation qui leur sont tout spécialement destinés, leur culture règne en maître dans les médias ; enfin, et peut-être surtout, la libération sexuelle a précipité le renversement de la traditionnelle séquence de vie mariage-sexualité-enfants. Désormais, on décide, après de multiples expériences sexuelles et amoureuses, de vivre en couple, puis de faire des enfants, puis, éventuellement, de se marier. Les deux explosions scolaires, dans les années 1960 puis 1980, ont en outre permis à la grande masse des jeunes de différer leur entrée dans l'âge adulte. Si bien qu'un soupçon s'est introduit : les jeunes ne sont-ils pas aujourd'hui tentés de s'attarder dans une « vie de jeune » dilettante et festive, de décliner l'invitation à s'engager dans une vie adulte faite de contraintes et de responsabilités ? Après tout, pourquoi grandir ? Ne vaut-il pas mieux rester soi-même, c'est-à-dire rester jeune ? Jouir au maximum et le plus longtemps possible de libertés qu'on ne retrouvera plus, en profitant de la généreuse sollicitude des parents et de l'« État irresponsable » ?

Devant ces interrogations, il ne suffit pas de rappeler que l'idéal adulte a un sens et qu'il peut garder sa supériorité (celle de l'expérience, de la responsabilité et de l'authenticité) dans l'univers individualiste. Il faut essayer de déterminer ce qui, du point de vue même de cette nouvelle et énigmatique jeunesse, peut rendre cette maturité souhaitable et aimable. Les jeunes peuvent-ils encore trouver de quoi stimuler leur désir de surmonter la jeunesse ? Certes, la plupart du temps, la nécessité d'accéder à l'indépendance économique et sociale finit par s'imposer. Mais ce passage à l'âge adulte peut-il être vécu autrement que sur le triste mode de la résignation? En somme, il nous faut repérer au cœur de la jeunesse, s'il existe encore, le ressort de l'*adolescence*, c'est-à-dire, au sens étymologique du terme *adolesco* («je grandis»), le processus qui fait grandir et devenir adulte.

La société a idéalisé l'individu qui n'en finit jamais de s'outiller pour la vie, érigé l'adolescence en modèle, en demandant aux individus de n'en jamais sortir, de continuer à être inachevés, imparfaits. Ce faisant, elle plonge l'individu dans une psychologie de l'angoisse («je ne peux expliquer clairement ce qui m'arrive») et dans une douleur récurrente, dont l'origine pourrait être formulée ainsi: mais arrête-t-on jamais de grandir? Paradoxalement, c'est précisément en valorisant l'adolescence interminable et en suggérant à tous qu'on n'en a jamais fini de grandir que la société empêche les individus de grandir. «L'émancipation adolescente, dont j'ai à plusieurs reprises étudié l'histoire et les formes, n'avait donc pas pour but l'émancipation de l'adolescence, de faire sortir les adolescents et l'adolescence, mais de les y faire entrer [...] les adolescents des sociétés occidentales ne sont ou n'ont été émancipés que pour rester plus ou moins longuement et, d'une certaine manière, presque interminablement adolescents», écrit Paul Yonnet. De même, pour Marcel Gauchet, le programme pédagogique actuel n'a plus pour but de s'ajuster au monde adulte, mais «d'apprendre à apprendre, de manière à se détacher des contenus appris, et de se construire soi-même, de manière à rester libre vis-à-vis des rôles endossés et des fonctions exercées». L'ambition n'est plus de progresser vers un but, un idéal d'accomplissement, mais de conserver autant qu'il est possible la période de l'enfance.

L'adolescence a beau être à ce point idéalisée, le jeune n'apparaît pourtant plus comme l'avenir de l'adulte. Pour quelle raison ? Tout simplement parce que l'avenir n'est plus radieux et que nous sommes désormais entrés, sinon dans l'âge d'une disparition de l'avenir, dans une crise profonde de l'idée de progrès. En fragilisant l'espoir et la confiance en un futur meilleur, nos « sociétés du risque » (Ulrich Beck) déstabilisent également les générations qui en sont les emblèmes. Le reproche qu'on peut faire à l'homme contemporain est d'être devenu, avec la complicité des journalistes, un simple voyeur du progrès qui n'apprécie plus dans celui-ci que la performance et le spectacle, sans prendre la peine de se demander à quoi il peut servir. Le progrès, en même temps qu'il ouvre de nouvelles possibilités, en supprime d'autres : il est donc particulièrement difficile, pour ne pas dire impossible, de déterminer si le résultat final sera plutôt positif ou plutôt négatif.

Il ne s'agit pas d'assigner, d'enjoindre, de restaurer, mais d'adopter une autre attitude à l'égard du passé et de la tradition. Réformer véritablement, c'est réformer la pensée.

Pour emprunter les propos de Daniel Pennac dans son livre *Chagrin d'école* (Éditions Gallimard, 2007, prix Renaudot) : « Notre époque s'est fait un devoir de jeunesse : il faut être jeune, penser jeune, consommer jeune, vieillir jeune, la mode est jeune, le foot est jeune, les radios sont jeunes, les magazines sont jeunes, la publicité est jeune, la télé est pleine de jeunes, internet est jeune, les people sont jeunes, les derniers baby boomers vivants ont su rester jeunes, nos hommes politiques eux-mêmes ont fini par rajeunir. Vive la jeunesse ! Gloire à la jeunesse ! Il faut être jeune ! »

117

Et moi d'ajouter : à condition de ne pas oublier l'autre (le voisin, le collègue, l'ami, la famille, l'employeur, la communauté, la société). À condition de ne pas envisager sa «jeunesse» avant tout comme une clientèle, un marché, un champ de cibles. À condition de ne pas se poser uniquement sur le jeu des apparences.

Annexe — Tableau des courants idéologiques des générations (1900-2000)	
Période conservatrice (1901-1961) Génération silencieuse / baby-boomers	Période consumériste (1962-1995) Générations X et Y
Registre rationnel	Registre affectif
Devoirs, sacrifice	Facilité, moment présent
Société d'obéissance (ponctuel, discipliné)	Société d'action : mobiliser ses ressources internes pour réussir
Vertical (hiérarchisation)	Horizontal (indépendance)
Période du relativisme	Période de l'esthétisme
Exploitation	Humiliation
Habitude	Nouveautés
La peur du risque	Forte propension à l'entrepreneuriat
Une éthique altruiste	Une éthique capitaliste
Donner, recevoir, rendre	Une confiance fondée sur le calcul
Exprime l'information de façon rationnelle	Exprime l'information de façon intuitive
Bien dans ce qui nous est familier	On veut fantasmer
Stabilité	Mobilité
Compétences auditives	Compétences visuelles
Estime de soi : sentiment de compétence	Estime de soi : sentiment de confiance
Le langage	L'image
Croire	Savoir
Appréciation longue période	Appréciation courte période

Le cœur	L'œil
L'Homme rationnel	L'Homme émotionnel
Identité	Relation
Objectivité	Subjectivité (apparence)
Parle à mon corps	Parle à ma tête
Pourquoi	Pourquoi pas
Savoir faire	Faire savoir
On s'identifiait aux parents (transfert des fonctions)	On s'identifie à des pairs (milieu d'opinion)
Solidité	Fragilité
Vie solide (règles, contraintes)	Vie liquide (mobilité perpétuelle)
Faire confiance à la famille	Faire confiance aux experts
Contexte collectif	Contexte individualiste
Acceptation de nos limites	Satisfaction de nos désirs
Soucieux des autres	Soucieux de son image
Plaintif	Cynique (connaît le prix de chaque chose et la valeur d'aucune)
Permanence, convention, affiliation	Précarité, réformes, marginal
Les premiers contacts sont accompagnés	Les premiers contacts sont directs
Malheur accepté	Bonheur attendu
Autorité concentrée	Autorité partagée et diffuse
Formalités essentielles	Mode informel privilégié
Orientation relationnelle linéaire	Orientation relationnelle individualiste
Attribution des rôles dépendant du sexe et de l'âge	Attribution des rôles selon le hasard ou après entente
Relations d'obligation mutuelles verticales	Relations caractérisées par l'indépendance

Chapitre V

Le jeune adulte
et son milieu familial

« Dans l'extrême jeunesse, l'on est trop enclin à croire que les larmes dédommagent de tout. »

Raymond Radiguet (1903-1923)

« Sois familier, mais aucunement vulgaire. »

William Shakespeare (1564-1616)

« Nous ne discutons pas la famille. Quand la famille se défait, la maison tombe en ruines. »

Antonio de Oliveira Salazar (1889-1970)

Le besoin de manifester

Avec l'enfant-roi, enfant réel ou enfant rêvé, les parents n'ont pas toujours su fixer les limites nécessaires, ni lui offrir le cadre de référence dont il avait besoin, ni même lui dire non quand il le fallait. À la fois gâté et adulé, l'enfant-roi est devenu un jeune adulte qui, le plus souvent, ne peut pas se résoudre à abandonner son trône ou à se défaire de son pouvoir sans partage. Comment le pourrait-il sans repères ni facilitateurs, entouré de courtisans qui comblent ses caprices et ses désirs ? Il est vrai que le pouvoir absolu est une ivresse dont on a du mal à se dégriser. Dans l'ombre, d'ailleurs, les mères s'activent. Elles perçoivent, et elles n'ont pas tort, que cela les concerne intimement. Quant aux pères, la majeure partie d'entre eux ont été beaucoup trop absents, pressés, volatils pour établir un dialogue, trop occupés qu'ils étaient à remplir leur agenda (le portefeuille, ils le portent à droite, alors que le cœur est à gauche).

Les mots de la mère et du père, sans cesse sur le fil du rasoir, jamais dans la dénonciation grossière ni l'apitoiement, évoquent l'univers consumériste dans lequel ils se sont barricadés. Père et mère ont éprouvé des difficultés à dire, à trouver les mots simples pour panser des douleurs sombres, celles surtout qui touchent leurs enfants. Un père d'ajouter : « Je frémis à l'idée que j'ai succombé à la tentation de paraître… Si le père ne retrouve pas sa ressemblance dans son fils, où est le père ? » Indifférents, trop occupés à la tâche et à polir les apparences, c'est beaucoup plus tard que les parents dénoncent ces imprudences. Dans leurs dénonciations, l'envie de bonheur apparaît toujours comme une course désespérée. « Jamais je n'ai su m'installer dans la vie. J'étais toujours en train de me remettre en question, prête à me lever, à partir », précise une mère.

Pères et mères ne parviennent même plus à élever leurs enfants sans l'aide d'experts certifiés. L'envie et l'exploitation dominent les relations, même les plus intimes. Ce que l'expression « être adulte » peut signifier pour les générations récentes n'a rien à voir avec ce que signifiait cette expression pour les générations antérieures. « Être adulte » a été redéfini ainsi : être aux commandes dans un monde enfantin. Comprenant cela, les Occidentaux les plus ambitieux ont choisi, au fil du temps, de rester adolescents. C'est pourquoi, en l'absence d'adultes, on se met à faire confiance aux experts. Cette dernière remarque permet, entre autres, d'éclairer le destin libéral de l'école et la prolifération contemporaine des *coaches*.

Dès lors que la mobilité perpétuelle des individus devient l'impératif anthropologique premier d'une société (ce que Bauman nomme la vie liquide), c'est, par conséquent, la possibilité même de nouer des liens solides et durables qui disparaît, de même que celle de construire des « récits de vie » cohérents (et susceptible, de ce fait, d'offrir aux individus une assise psychologique satisfaisante).

Déclassée par l'influence médiatique du milieu, la famille en conclut qu'elle n'est rien et s'abandonne depuis une vingtaine d'années à l'autodénigrement et à un dolorisme d'enfant gâté. Elle qui brandissait jadis sa raison comme l'idiome naturel du genre humain ne sait plus que gémir, ressasser, lécher ses plaies, énumérer sans fin ses disgrâces. Cette jubilation morose à se déprécier sévit partout, comme si la famille rimait invariablement avec souffrance. Ce qui est préoccupant, ce ne sont pas les cris de désespoir de certains parents à l'égard de l'enfant ou de l'adolescent – le désespoir doit s'exprimer –, mais la détestation que la famille se voue à elle-même en tant qu'entité. Une famille si peu sûre d'elle devient incapable d'enthousiasmer sa jeunesse.

Être parent, ce n'est pas se couler dans la peau d'un autre : parfois, trop d'images, trop d'opinions, trop de substitutions sont venues altérer la réalité. C'est au contraire se débarrasser d'une de ses propres peaux, enlever une couche, aller plus profondément à l'intérieur de soi. Car il ne suffit pas d'être «juste». Il faut quelque chose en plus, une rigueur sans laquelle le jeune adulte ne peut se révéler. La rigueur du langage, la rigueur de la pensée, la rigueur d'une attitude – cela permet déjà d'établir des balises qui aideront le jeune adulte à trouver ses repères pour mieux agir et réagir aux défis qu'il devra relever.

Plus sûrement qu'une longue réflexion psychologique, certaines attitudes à son égard aident la jeunesse à se construire : une expression, un geste, le rythme de la parole, un regard significatif, une manière de toucher… La vérité qui se cache chez le jeune adulte naît de ces détails. Voici ce qu'un jeune adulte m'a dit concernant ses parents : «Mes questions étaient ma totale ignorance. Leur réponse aux choses était leur indifférence naturelle.»

Les jeunes ne croient pas à une réponse parentale uniforme, mais à des pratiques diversifiées. En fait, ils sont passés de la morale à l'éthique, c'est-à-dire à une aptitude à juger en situation, moins à partir de grands principes que du rôle qu'on joue dans un contexte donné. Les jeunes acceptent aussi davantage d'être soumis à la critique, y compris celle de leurs parents. Et c'est en ceci que réside leur tour : ils véhiculent des idées nouvelles, tout en faisant l'éloge de l'individualité et en proférant les propos les plus revendicateurs. Bref, ils se tiennent en permanence sur la corde raide, pour finalement braquer crûment le projecteur sur l'Occident et révéler ce qui ne va plus dans nos sociétés, ce que nous avons perdu, ce qui pourrait sembler évident, voire relever du poncif, mais que nous ne voyons même pas.

Parents et jeunes adultes s'enferment alors dans une relation de dépendance. Les jeunes dépendent de leurs parents, en espérant, en demandant, puis en exigeant de recevoir, d'avoir toujours plus. Les parents sont tout aussi dépendants de leur progéniture, car, s'ils veulent conserver leur statut, il leur faut donner, donner toujours plus, pour compenser les absences, les négligences, les retards. Dans tous les cas, les parents infantilisent leurs jeunes pour qu'ils restent des enfants. Parents et jeunes adultes s'emmurent ainsi mutuellement dans l'enfance. À cet égard, il est révélateur que l'industrie de la création conçoive de nombreux objets destinés aux adultes en s'inspirant des produits destinés à la toute petite enfance. Couleurs vives, formes rondes, matériaux mous… l'infantilisation est partout.

À l'inverse, certains parents, tout aussi impuissants ou réticents à devenir de réels accompagnateurs, sautent la dernière étape de l'éducation proprement dite. Résultat, ils projettent leurs enfants directement de la petite enfance au monde adulte. À 5 ans, on habille sa fille comme une vedette de films érotiques ; à 12 ans, on l'emmène chez le docteur pour qu'il lui prescrive la pilule et on glisse dans son cartable une boîte de préservatifs. « On ne sait jamais. Comme ça, on est plus rassuré… » Méconnaître l'enfance de son enfant a un prix. Durant la prime jeunesse, les sentiments ne sont en effet qu'un élan confus dans lequel le bien et le mal sont encore indistincts. Pour reprendre les propos de Francis Bacon (1561-1626), « la jeunesse est plus apte à inventer qu'à juger, à exécuter qu'à conseiller, à lancer des projets nouveaux qu'à poursuivre des anciens ».

Les rapports de copinage entre parents et jeunes adultes témoignent de ce refus de couper le cordon. L'enfant reste dans le cercle familial au lieu de se faire des amis à l'extérieur, de nouer des relations nouvelles qui lui permettraient de faire le pont avec le monde adulte. L'enfant a besoin d'être entouré de gens, mais aussi d'objets qui sont comme des barricades contre les intrusions du monde. C'est comme si l'enfant désirait rester dans la chaude sécurité du nid familial, retourner enfin dans le ventre de la mère. En 1997, une publicité de la compagnie aérienne Sabena montrait ainsi un fœtus suçant son pouce dans l'utérus de sa mère, avec ce slogan : « Rappelez-vous vos premières sensations de confort. »

Le jeune adulte spécule sur le rire plutôt que sur les larmes. Il fustige l'hypocrisie, le mensonge, le lynchage, et il s'en prend non pas à ceux qui croient mais à ceux qui font semblant, et qui en retirent un profit personnel. Il allie la netteté et le mystère, avec un je-ne-sais-quoi de libre et de hardi, une invention qui s'impose, qui étonne et qui déconcerte. Il traite l'adulte comme un vieil enfant triste qu'il s'agit de redresser un peu, de soulager, surtout en l'amusant. Il y a chez le jeune adulte une joie calme et vaste qui n'est pas donnée, mais conquise sur le malheur, sur la douleur, comme la musique.

Le jeune adulte ne cache pas qu'il veut d'abord être lui-même. Il est impossible de ne pas s'en apercevoir lorsqu'on prête attention à ses propos, à ses intentions, et à ses dialogues également. Pour lui, les carnets de bord en ligne, les messageries et les forums sont devenus des outils branchés pour partager ses passions, se faire des amis… ou plus si affinités. Entre le virtuel et le réel, c'est tout un univers de rencontres qui s'invente, avec ses codes, son langage. Le jeune adulte teste, il aime ou il déteste, toujours avec la possibilité de se débrancher, puis de recommencer sa quête.

La génération Y: des jeunes pressés d'exhiber sur le Net tous les tourments de leur puberté, les photos de leur copain ou copine, de leur idole du moment, de leur «tribu» d'amis, de leurs soirées arrosées. Une «génération numérique» acharnée à massacrer sans honte orthographe et grammaire pour goûter aux délices de l'épanchement écrit. Comment expliquer cette frénésie à vouloir parler de soi sous le couvert de l'anonymat? Un anonymat très relatif, parfois. Qu'ont-ils donc à se dire, ces jeunes adultes, dans ce cercle fermé de l'ordinateur, de la chambre à coucher et de la porte close? Qu'écrivent-ils donc de si important, eux qu'on disait focalisés sur l'image, incapables d'aligner trois phrases, perdus à jamais pour la lecture? Cette somme de mots et d'images constitue un témoignage unique de ce qu'une génération pense, écrit, confie. Que veulent-ils afficher au juste: journal intime, douleurs secrètes, intentions funestes, pulsions suicidaires? La liberté d'expression et ses limites, voilà ce que les enseignants devront ajouter au programme scolaire dans les années à venir. D'autant que certains très jeunes «blogueurs» n'ont pas toujours conscience que ce qu'ils écrivent sur leur ordinateur peut être lu par n'importe qui, en particulier, par des pervers.

Le jeune adulte apprend à se vendre, multiplie les promesses, affirme qu'il est le meilleur. Eh oui, c'est du marketing! Il s'agit ni plus ni moins que d'une révolution dans ses rapports avec les autres. Avec ses parents, il écrit comme il parle. Pas d'enrobage poli ni mondain, pas de blabla. «T'es toujours là, toi?» lance Alexandre à son père. Tout est bon pour doper sa sociabilité: il joue à être son double en mieux. «Quelle est la différence entre un père et son garçon ?» «Le prix de ses jouets», répond avec un clin d'œil révélateur un homme «infantile par nature»; mais c'est aussi l'image que les femmes ont parfois des hommes.

Le jeune adulte veut séduire, oui, mais autrement. En recourant aux mots plutôt qu'à la voix. À travers les émotions que symbolise le sourire, plutôt que par ce corps qui rougit, trahit, flageole. Il parle, face à la caméra, la voix rauque, l'œil vif, pétillant, Mais on sent malgré tout une certaine amertume chez lui, due à l'absence ponctuelle de repères venant de ces proches, son père, sa mère.

Les liens parentaux ne sont plus «sentimentaux», comme le chantait Aznavour, ils sont devenus digitaux. S'il s'ennuie dans la vie, s'il s'enlise dans la ville, bref s'il «flippe», alors le jeune adulte clique. De plus en plus, le contact établi avec ses parents est comblé par le téléphone cellulaire ou l'ordinateur, dont on se sert pour «chatter». Ici, les règles sont bouleversées, tout est inversé par rapport à la vie réelle. Le clic de souris remplace le sourire commun, l'effet de surprise s'essouffle, puisque l'absence est affichée dès le début.

C'est là aussi tout un rituel. La mère est à ses occupations, voire à ses apparences, le père à ses loisirs. Le jeune adulte se met en scène, il transforme une fête, un anniversaire en première page de son propre journal et devient son propre héros. Il passe pour être plutôt intelligent. Mais que faire de l'intelligence, comment s'en servir ? La question reste entière !

En critiquant leurs parents, les jeunes adultes expriment aussi le besoin d'avoir de nouvelles certitudes. Bien sûr, les parents commettent des erreurs, se montrent maladroits, mais l'éducation n'est pas une chose aisée, notamment lorsqu'il s'agit d'établir un équilibre entre la stabilité et les évolutions nécessaires. Au final, la leçon que doit retenir la génération millénaire est que personne ne connaît les choses avec certitude et de façon définitive. Il faut savoir s'adapter.

Entre l'aventure et le conformisme

Vivre en mode *zapping*, c'est être tout à la fois, mais en se comportant en spectateur, c'est-à-dire sans s'impliquer et sans agir. Les 20 ans se font leur cinéma en se protégeant eux-mêmes dans une *sitcom* à l'image de la série culte américaine *Friends*. Mais ce n'est pas un véritable style de vie, c'est plutôt un modèle d'adolescence prolongée qui rêve pour retarder le moment d'entrer dans la réalité. Le jeune adulte chérit ainsi le rêve d'un monde toujours jeune, où on peut vivre à jamais au présent, sans passé, comme un voyageur sans bagages qui ne se pose ici que pour repartir ailleurs. Sans souvenirs, sans vestiges. Mais aussi sans culture, sans histoire.

Le jeune adulte a évidemment besoin d'avenir : ce n'est pas le dernier mot du parent qu'il faut lui donner, mais plutôt le premier. C'est ce que font merveilleusement les auteurs anciens, qu'on ne devrait pas hésiter à citer et à lire dans bien des circonstances. La force de la connaissance qu'ils nous donnent ne réside pas à proprement parler dans son degré de vérité, mais dans son ancienneté, son degré d'assimilation, ce qui la rattache profondément à la condition humaine. Comme le rappelle le bon sens, tradition et raison peuvent faire bon ménage dans les principes intangibles qui devraient rapprocher le parent et le jeune adulte, tout en réservant à chacun la place qui lui revient.

Les jeunes adultes peuvent certes prendre des raccourcis pour arriver à leurs fins, par exemple

partir au loin, se brancher sur des écouteurs, se pro-
mener avec un baladeur, un portable à la taille, un
dictionnaire sous la main, apprendre une langue
étrangère, apprendre à ne rien faire... Voilà pour
l'intrigue du jeune adulte dont la modernité am-
biguë n'est évidemment qu'un point de départ: le
voyage comme façon d'être au monde. Entre l'exception et la masse, le jeune adulte a depuis longtemps
choisi l'exception. Pour provocateur qu'il semble,
l'éloge du jeune adulte n'en a pas moins une place
cohérente dans l'œuvre sociétale. Leurs sentiments
ont beau être parfois empruntés, ils les aident à franchir le terrain psychique si dangereusement mouvant
de ces années où on voudrait tant être quelqu'un
alors qu'on n'en a pas encore les moyens.

Le jeune adulte ne cherche pas à dissimuler
ses passions. Il a «envie de franchir les Alpes pour
(se) retrouver dans une de ces offices de campagne où, par l'odeur alléché, on est prêt à se tenir
des heures dans l'insouciance et la jouissance du
carpe diem». Le mot est lâché, le jeune adulte est
un jouisseur, et gare à ceux qui veulent l'empêcher
d'en profiter. Pour lui, toute la génération Y reste
intacte, empreinte d'un idéalisme toujours vif. Si le
regard qu'il pose sur le «monde d'ailleurs» occupe
largement son esprit, c'est avant tout parce que sa
curiosité pour les «autres» le pousse à chercher bien
au-delà des masques. Dans chacun de ces voyages, il
tente, en ennemi de la fadeur, de déceler une des
contradictions majeures de la société d'aujourd'hui:
l'abîme de plus en plus grand qui sépare «notre
idéal esthétique, moral, qui nous rend sensibles à
toutes les formes de révolte et nous fait aimer le mau-
dit, le paria», et le monde dans lequel nous vivons,
«ce qui nous oblige à vivre selon les objurgations
frénétiques de la consommation, de la mystique du

131

succès, de l'implacable religion du matérialisme ». La découverte, puis la diversité : les aléas du destin. Voilà sa passion.

Dans l'amour ou l'amitié, il espère non seulement l'affection et la tendresse, mais aussi le refuge, la prise en charge, la tolérance absolue, le pardon inconditionnel. Leur dicton amoureux : « Suis-moi, je te fuis ; fuis-moi, je te suis. » Dans les relations ordinaires, par affinité ou ressemblance, il prise le copinage, la familiarité, l'affectivité, la permissivité, la nonchalance. Il ne s'arrête et ne s'attache qu'à des gens qui ont un abord gentil, qu'il rebaptise « sympa », « cool », « intense »...

Après avoir subi les délires de parents permissifs, certains jeunes opteront pour une certaine forme de conservatisme. Leurs préoccupations tourneront autour de la menace terroriste, de la pauvreté, de la pollution, de l'environnement, de la guerre, des épidémies et du développement durable. Est-ce un réconfort ? Je l'espère, puisqu'il s'agit de préoccupations qui relèvent d'engagements extérieurs à leur propre personne, à leur apparence, à leur statut, à leurs accessoires.

Les jeunes adultes ont complètement intégré la notion de loisir, que les anciennes générations considéraient comme une récompense. Petite parenthèse : assurez-vous de ne pas faire l'erreur commise par les générations précédentes ; ne valorisez pas vos loisirs en fonction de leur productivité et de leur rentabilité. Oui, des loisirs, mais qui sont de plus en plus dispendieux : ski, moto, voyage... Près de 60 à 70 % des jeunes adultes âgés de 15 à 26 ans ont un travail à temps partiel qui les occupe en moyenne 15 heures par semaine. Plus de 30 % d'entre eux travaillent 20 heures et plus. Travailler pour se payer des loisirs est une chose, mais cela ne doit jamais, à part quelques exceptions, être aux dépens du parcours universitaire : la nouvelle économie du savoir «condamne» la nouvelle génération à exercer plus de finesse, de subtilité et d'imagination dans les tâches qui lui seront assignées.

Auparavant, c'était avant tout sur une relation intellectuelle que reposait le lien professeur-élève, laquelle était en soi une formation morale. Entre école et famille, il y avait consensus sur les valeurs scolaires. C'était idéal pour une minorité d'élèves qui se soumettaient aux exigences de l'institution ! Aujourd'hui, l'hétérogénéité induite par la «massification» a tout changé. L'école n'est plus le vecteur exclusif de la culture. Dans un contexte où les élèves ont des profils très variés, on ne peut plus enseigner comme hier. Il faut réapprendre à apprendre ! Il n'y a pas deux personnes qui apprennent de la même façon. Toutes ont des capacités, des rythmes différents. D'où l'intérêt de différencier.

Éducation ou «séducation»

Les jeunes adultes ont-ils été éduqués ou séduits ? Ils sont issus de parents qui ont eu recours à la séduction que ce soit pour apaiser les pleurs, les peurs, les craintes, s'assurer qu'ils compléteront leurs travaux scolaires, leurs études, leurs activités sportives, se draper dans les apparences et le prêt-à-porter, préserver les convenances, se libérer de toute explication ou compenser de nombreuses absences. En cédant ainsi à la facilité et à la démesure, les parents ont cassé l'instrument essentiel de la transmission des valeurs et des savoirs.

Qui niera l'importance de l'éducation ? «Un jour, il n'y aura plus d'autre réflexion que celle portant sur l'éducation», disait Nietzsche. Kant, pour sa part, y voyait «le plus grand et le plus difficile problème qui puisse être proposé à l'homme», et Freud la rangea parmi les tâches impossibles. À quoi cette difficulté tient-elle ? À cause de ce paradoxe : il n'y a pas d'éducation sans disciplines imposées du dehors, sans contraintes (ceux qui le nient ou bien n'éduquent pas ou bien font pression sans s'en apercevoir) ; et, en même temps, l'éducation a pour vocation de former des êtres libres. Le paradoxe est insoluble – même si la vie se charge de le résoudre tous les jours.

Que la contrainte ne soit plus physique représente un avantage indéniable, mais implique aussi qu'elle ait des effets beaucoup plus profonds. Le jeune adulte n'est plus aux prises avec un pouvoir externe qu'il peut cerner et auquel il s'oppose frontalement, mais subit une force de persuasion qui s'insinue dans son esprit et en épouse tous les mouvements. Cette force arrache les jeunes à leur ancrage géographique, social, culturel, pour promouvoir le modèle unique du consommateur-roi.

On devine l'aride frustration de ces braves parents qui sont convenus, sans remises en question, que le bonheur est issu de la séduction. Pourront-ils transformer ce délire de la séduction en leur faveur ? Je l'espère ! Il me semble également que, grâce à la séduction dont il a fait l'objet, le jeune adulte a appris à reconnaître, à distinguer, à saisir les nuances, à parfaire ses réponses, à exprimer ses angoisses et ses espoirs. Mais les parents doivent aussi réapprendre à admirer, c'est-à-dire cesser de voir les jeunes adultes avec l'œil de la séduction. Autrement dit, regarder non du haut vers le bas, mais du bas vers le haut. Je laisse aux parents le soin de saisir la différence !

De la sorte, il faudrait que les pères et les mères respectent l'enfant qu'ils ont, plutôt que celui qu'ils ont rêvé d'avoir.

Aux yeux des jeunes adultes, il est inadmissible que les parents soient différents de ce qu'ils se prétendent être. Il sentent vivement le décalage existant entre l'image proposée et le comportement réel et, finalement, le bien dans le comportement réel de ceux qu'il n'a pas encore fini d'admirer, ses camarades plus âgés par exemple. Tout cela conduit à une perte d'autorité chez celui qui en avait la charge : le père, qui cède à la mère la responsabilité quotidienne de l'éducation.

Ce n'est pas l'absence du père qui affecte l'avenir d'un enfant, mais plutôt la signification que l'enfant lui donne. Trop souvent, les parents agissent comme s'il fallait suivre un programme précis. Or, les enfants ne se souviennent pas de la durée, mais d'abord de la disponibilité, puis de l'affection, du dialogue, de l'humour. En effet, les relations entre parents et enfant sont de plus en plus vues sous le rapport de l'amour. L'enfant devient un substitut de la fusion absente, un traducteur plus ou moins efficace dans la négociation quotidienne des corps, un lien de parenté, une compensation de la fracture conjugale, un sujet de remplacement et de résignation publicitairement falsifié, de nos jours, en objet comblant.

« Éduquer, ce n'est pas remplir des vases, mais allumer des feux », écrit Montaigne (1533-1592). Le feu de l'attention, le feu de l'étonnement, le feu de la présence à l'instant présent. Jusqu'où sommes-nous prêts à nous aventurer dans l'authenticité ?

Ne dites pas trop à votre enfant : « Sois sage ! » Il aura toute la vie pour le devenir et peut-être pour le regretter. Le faire revient à négliger que l'enfant possède souvent un génie qui se perd lorsqu'il devient adulte. Tout se passe comme si, avec les années, nous entrions dans la prison des conventions et des opinions courantes, des dissimulations et des préjugés, perdant du même coup la spontanéité de l'enfant, réceptif à tout ce que lui apporte la vie qui se renouvelle pour lui à tout instant : il sent, il voit, il interroge, puis tout cela lui échappe bientôt. Il laisse tomber dans l'oubli ce qui s'était un instant révélé à lui, et plus tard il sera surpris quand on lui racontera ce qu'il avait dit et demandé.

Souvent, une vie sera dominée par un point culminant. À un moment donné, une phrase, un geste, un regard donnent une valeur, une direction, une volonté. La vie change alors de couleur. L'existence acquiert alors une autre texture : l'attention accordée à ce moment où une vie bascule. Mais dès ce moment décisif, le jeune adulte « différent » est déjà en route, propulsé par ces quelques secondes. Dans le même ordre d'idées, que peut-on ajouter à ce témoignage, à la fois émouvant et combien significatif, de Justin, 22 ans, à propos de son père ? « Nous étions différents, autant qu'on peut l'être, et nous cherchions à le rester. Mais il me croyait apte à inventer, à découvrir. Sa confiance multipliait mes moyens. » Veuillez, je vous en prie, le relire !

L'univers du jeune adulte est trop vaste et changeant, et notre ignorance trop exponentielle, pour que nous puissions prétendre sans éclater de rire le connaître chaque jour davantage. En fait, c'est exactement le contraire : nous pataugeons dans un inconnu multiplié par chaque découverte. Le jeune adulte possède la propriété fascinante de rester libre de vivre, d'essayer, de jouer l'existence. J'invite les parents à faire la même constatation que moi et à cesser de culpabiliser, de justifier, de nier ou d'analyser. Il nous faut réapprendre que la dérive n'est pas menaçante.

Quand ils étaient enfants, on leur disait : « Attention, attention ! » À l'adolescence, on ajoutait : « Tu ne comprends pas. » Et maintenant on sert de l'espoir au jeune adulte : « Réussis dans la vie… Sois performant. » Recommençons. Quand ils sont enfants, dites-leur : « Va jouer dehors, oublie le monde des adultes. » À l'adolescence : « Ne te presse pas pour l'avenir… Amuse-toi ! » Et enfin, lorsqu'on s'adresse au jeune adulte : « Tu peux chercher ailleurs ce que je ne peux pas te donner, chez ton autre parent, ou son nouveau compagnon, ou chez tout autre adulte. Tu verras comme il est intéressant d'entendre et de voir des choses qui ne se ressemblent pas. »

Voici par exemple le vœu d'une mère pour son fils : « Qu'une volonté secrète t'accompagne tout au long de ta vie, que tu suives un point, un mot repère, que tu aies toujours une obsession qui te conduise à rechercher ce qui se manifeste et qui se dérobe. Une obsession qui ne détruise jamais les choses, qui recherche l'occulte dans l'exposé, et dans le secret ce qui monte vers la lumière pour qu'elle lui donne forme » (José Lezema Lima, 1910-1976).

Non, il ne faut pas tout dire aux enfants. Non, tout ne se joue pas dans la petite enfance. Non, les parents ne sont pas forcément responsables de la destinée de leur progéniture : nous pouvons parler aujourd'hui différemment du divorce, de la place du père, des mères qui travaillent. La perfection n'est pas plus faite pour nous que l'immensité. Le jeune adulte ne marche pas en ligne droite, il a des temps d'arrêt et des reculs. Entre continuité et renouveau, la voie s'annonce large pour la nouvelle génération.

Les jeunes adultes ne sont pas seulement notre avenir. Ils sont aussi le miroir de notre présent. Ils portent en eux, sans le moindre filtre, toutes les promesses, mais aussi toutes les impasses de notre société.

Inventer ses propres valeurs

On notera d'abord l'importance de ce qui, dans la publicité, « interpelle » le jeune adulte, comme l'adulte d'ailleurs : l'alliance du son et de l'image, qui s'adressent directement aux sens, sans la médiation de signes artificiels comme l'écriture informatique. Voilà donc un son et une image qui, en même temps et tout naturellement, affectent le spectateur. On est baigné de sensations et non plus astreint au décodage de signes. Comme le précise Gaston Bachelard dans *Figures de la publicité, figures du monde* (Denoël, 1979), « les images qui sont des forces psychiques premières sont plus fortes que les idées, plus fortes que les expériences réelles ». Le souci du présent, première valeur du jeune adulte, l'emporte. Le voici donc avec une conscience cool à la recherche de *son* épanouissement personnel. Le *feeling* est *sa* nouvelle conscience. C'est ce qui paraît dominant chez le jeune adulte. L'oubli du passé, le repli sur le présent, l'absence d'un horizon légitime, le désintérêt pour l'avenir, voilà bien, à son sens, l'« air du temps » qui s'ouvre à lui. Il nous faut maintenant vivre dans une temporalité étroite, celle du présent et du court terme.

La réalité est cependant plus complexe. Elle comporte plusieurs strates, logiquement incompatibles, mais articulées entre elles, et qui avaient leur place dans le fonctionnement de la société. Théoriquement, nous disposons encore d'une strate idéologique imposante et rigoureusement morale, c'est-à-dire la responsabilité de nous accomplir, de nous réaliser, de nous approprier les choix que nous faisons. Mais dans la pratique, pour le groupe comme pour l'individu, le mobile efficient, c'est l'intérêt du moment. De plus en plus, notre univers n'est vraiment soumis qu'à la loi de l'offre et de la demande. Le droit à la liberté ne suffirait sans doute pas à légitimer ce comportement : le cynisme sous-jacent, la loi du plus fort, serait trop visible. Aussi nous drapons-nous dans les grands principes de la démocratie et y trouvons-

138

nous les motifs de nos actes. Nous serions toujours, à en croire nos discours, animés par la morale infrangible des Droits de l'homme.

Nous vivons dans une société du divertissement, un immense parc d'attractions, un univers aseptisé où on nous offre le mirage de la liberté, au point de penser parfois que les jeunes adultes ne peuvent que voyager sans voir le monde, consommer pour compenser leurs manques, éviter de réfléchir, s'imaginer que tout tourne nécessairement autour d'eux, qu'on leur doit la santé, la sécurité, la prospérité, et oublier que la vie est étrange et redevable. En quoi cette perception, résultant du lien parents-enfant décrit plus haut, nous éclaire-t-elle sur la situation actuelle de la nouvelle génération ? Ce qui résume sans doute le mieux la nature de la pression sociale exercée sur le jeune adulte, c'est sans doute qu'on choisit, de façon plus ou moins délibérée, de ne le façonner que par des mobiles procurant des gratifications immédiates qui l'emportent sur les raisons à plus long terme. Pour le convaincre, on renonce à l'effort et à la rigueur, et, comme le jeune adulte est surtout sensible à ce qui est proche, on le tente par la promesse d'un bénéfice immédiat. On le séduit. Le jeune fait confiance à ceux qui lui offrent à la fois facilité et satisfaction. Toute leur éducation a été faite sous le signe de la séduction.

Bien entendu, la plupart des parents n'adhèrent pas à cette thèse, et ses effets concrets sur les législations occidentales sont très récents. Mais nous ressentons tous, dans notre société, la force de cet appel : accorder aux jeunes la liberté de se développer comme ils l'entendent. Le désaccord porte sur la question de savoir si cette liberté de développement peut légitimer, entre autres, la pornographie, la permissivité en matière de comportements sexuels ou la représentation de la violence. L'interdiction de telles choses menace-t-elle la liberté de se développer comme on l'entend ? Je ne prétends pas à la neutralité dans ce débat, mais je ne suis pas, à ce stade, en état d'y contribuer utilement. Je préférerais plutôt proposer aux parents et aux jeunes adultes de tenter, par le biais de multiples conversations, d'élucider la «manière de vivre». Par cette expression, j'entends les croyances morales qu'on peut regrouper autour de l'idée qu'il faut respecter la vie humaine et que les interdictions et les obligations que nous impose ce respect comptent parmi les plus graves et les plus importantes.

C'est d'abord en déterminant dans quelle mesure et dans quel sens il parviendra à se libérer de son égocentrisme (parce que l'égo, à la base, c'est se préoccuper de ce que les autres pensent de nous) qu'on peut juger de la vraie valeur d'un jeune adulte. Il est à cet égard instructif de regarder les jeunes adultes, car ils nous apprennent à quelle attitude doit correspondre le regard. Voir, ne faire que voir, il n'y a au fond rien de moins naturel. Cela résulte au contraire d'un dressage continu. Souvenons-nous de ce qu'on nous disait quand nous étions enfants : «Touche avec les yeux ! » Cela voulait dire : regarde, mais sans intervenir sur ce qui se passe. Nous sentions que ce n'était pas du tout naturel, et cette phrase nous agaçait. La génération millénaire invite donc à se déplacer pour aller voir quelque chose, à aller en délégation. Pour voir avec ce regard, il faut se dépayser, quitter ses habitudes. L'habitude ! Aménageuse habile mais bien lente, et qui commence par laisser souffrir notre esprit pendant des semaines dans une installation provisoire. Le danger des habitudes, des mauvaises habitudes, c'est de devenir moins disponible à l'autre.

Regarder, donc. Mais aussi questionner. Devant une chose qu'on a renoncé à saisir et à manipuler, une question se pose : « Qu'est-ce que c'est ? » Une question un peu bizarre que nous ne posons d'habitude que quand nous ne savons pas à quoi sert une chose, et pour pouvoir nous en servir. Pour le jeune adulte, cette question prend alors un autre sens : « Qu'est-ce que c'est vraiment ? », « Qu'est-ce que c'est, au fond ? » Ce qui veut dire que les choses ne sont peut-être pas ce qu'elles ont l'air d'être. Les apparences peuvent nous tromper. Il faut aller au-delà.

Le jeune adulte se soucie de sa capacité à transmettre ses valeurs. Mais qu'apporte la nouvelle génération pour ce qui est de la pensée elle-même ? Elle apporte un ton dans la façon de poser les problèmes, ainsi qu'un certain nombre de valeurs, telles que la tolérance, la douceur et l'expression. La nouvelle génération se caractérise d'abord et avant tout par l'ouverture : elle a par conséquent beaucoup à apporter dans nos sociétés qui ont tendance à se compartimenter. Les discours que tiennent les jeunes adultes ne sont pas exclusifs, comme c'est souvent le cas de ceux de leurs aînés, mais complémentaires. La génération Y a donc la capacité de créer d'imprévisibles nouveautés.

De là à croire que, l'heure venue, la nouvelle génération léguera un héritage fondé sur une attitude reposant sur la réflexion et la critique, ainsi que sur une ambition de connaissance s'appuyant moins sur des certitudes que sur l'être, la vérité ou les actions humaines… J'ose y croire ! Sachant toute l'étendue de son intelligence, ses vertus ne dépendent pas exclusivement du savoir, mais également du *savoir être*, du *savoir faire*, du *savoir dire*. La force de cette jeunesse résidera donc dans l'art d'interroger et d'avancer. Déjà, de questions en réponses, elle révèle les contradictions que nous ne voyons plus et réalise que ce qu'on veut lui faire prendre pour une connaissance indiscutable n'est en fait bien souvent qu'une opinion.

Chapitre VI

Le jeune adulte
et le monde du travail

«La limite idéale vers laquelle tend la nouvelle organisation du travail est celle où le travail se bornerait à cette seule forme de l'action : l'initiative.»

Jean Fourastié (1907-1990)

«Je n'aime pas le travail, nul ne l'aime ; mais j'aime ce qui est dans le travail l'occasion de se découvrir soi-même, j'entends notre propre réalité, ce que nous sommes à nos yeux, et non pas en façade.»

Joseph Conrad (1857-1924)

La grande séduction

La génération X les jalouse, les baby-boomers se reconnaissent en eux et les plus vieux ont de la peine à les suivre! Les 15 à 29 ans, la génération Y, feront des remous en débarquant dans les entreprises. Mais avant d'aller plus loin, voyons quelle place occupe chaque génération dans le monde du travail.

Selon le découpage des démographes, quatre générations composent actuellement la main-d'œuvre dans les entreprises. Il y a la génération silencieuse (née entre 1901 et 1944), la génération des baby-boomers (née entre 1945 et 1961) – au sein de laquelle on peut distinguer une génération en attente (née entre 1960 et 1965) –, la génération X (née entre 1962 et 1978, effondrement de la natalité ou *baby bust*) et, enfin, la toute dernière à faire son entrée, la génération Y (née entre 1979 et 1995, écho du baby-boom). Les premiers, les bâtisseurs, représentent aujourd'hui 5 % de la main-d'œuvre totale, les baby-boomers 45 %, la génération X 35 %, et la génération Y 15 %. La génération Y compte 4,3 millions d'individus au Canada (Statistique Canada, 2003) et 29 millions aux États-Unis, et elle continuera d'envahir le marché de l'emploi au cours des 10 prochaines années. Les entreprises ont donc tout intérêt à s'en préoccuper. Par exemple, en France, on a calculé que, entre 2006 et 2010, 40 % du personnel de la fonction publique aura pris sa retraite (deux millions de personnes) et qu'en 2006 les plus de 50 ans représentaient 21 millions de personnes. Le marché est donc immense, d'autant qu'à eux seuls les seniors détiennent 47 % du pouvoir d'achat. Que dire de la Chine, depuis 1978, le planning familial limite le nombre de naissances à un enfant par famille. Trente ans après son entrée en vigueur, le bilan est très mitigé. Certes, la croissance démographique

145

a été ralentie. La Chine compte officiellement 1,315 milliard d'habitants (mais de nombreux enfants nés hors planning n'ont pas été déclarés). Cette politique a empêché 400 millions de naissances qui auraient été autant de bouches à nourrir et d'emplois à trouver. Cette génération de 90 millions d'enfants uniques constitue un phénomène sans précédent dans l'histoire de l'humanité. Le ratio chinois est de 120 garçons pour 100 filles et atteint 140/100 dans certaines provinces, alors que l'équilibre naturel est de 99/101.

Pour commencer, il convient de cerner les principales caractéristiques de ces nouveaux travailleurs. Ils maîtrisent parfaitement PC et Internet, ils sont optimistes, indépendants, fonceurs et très brillants. De leur aveu même, ils veulent la reconnaissance qui va avec les responsabilités qu'on leur donne. Ils envisagent le travail à la lumière de plusieurs exigences : ils accordent plus d'importance à l'équilibre travail-loisir, ils recherchent la gratification immédiate et proposent de nouvelles alternatives à des tâches parfois trop répétitives. Pour eux, défis et indépendance sont intimement liés, et les compétences passent avant la hiérarchie. Ils réagissent avec hargne aux baby-boomers qui revendiquent l'ancienneté et l'expérience comme l'étendard de leurs compétences. Prudence, puisque la génération Y risque fort de réagir en précisant que la route des études a été longue et facilement comparable aux exigences de leurs prédécesseurs.

Ils sont plus pragmatiques et moins rêveurs que les générations précédentes. Et pour cause. Confrontés aux clauses restrictives, au travail précaire et aux contrats ponctuels, les jeunes adultes font face à un marché du travail plus fragmenté et insécurisant que celui qu'ont connu leurs aînés. Mais il n'est pas exclu qu'ils rêvent plus tard et lèguent autre chose à la société. À cet égard, leur rapport à la technologie, qui s'emballe dans une course folle, est un enjeu intéressant. Le grand danger de l'ordinateur réside dans sa formidable productivité. Or, plus on accumule les données, plus il faut consacrer une part importante à la réflexion. Véritables experts en matière de technologie, les jeunes adultes ont toutes les cartes en main pour maîtriser le vacarme des données, du moins je l'espère.

En raison de leurs caractéristiques, ces jeunes travailleurs ne doivent pas être abordés comme leurs aînés. Ainsi, nombre d'étudiants qui souhaitent être considérés comme la relève privilégient un travail d'été dans leur domaine d'études afin d'acquérir une expérience pertinente. Mais c'est à vous, les gestionnaires, d'aller sur place et de les rencontrer, et non l'inverse. Si vous tardez à le faire, vous avez déjà un léger retard ! L'attitude à adopter face à eux peut se résumer ainsi : ne rien laisser passer, répondre du tac au tac, tout en sachant que la courtoisie est de rigueur. Aucun employeur ne pourra s'effacer derrière son bureau et traduire ses intentions par son titre ou se reposer sur son ancienneté pour muscler ses propos. La nouvelle génération sera à même de cerner tous les écarts entre l'apparence et la réalité. Rappelons-le, à leurs yeux, la hiérarchie (l'ancienneté) passe après les compétences (la capacité de se renouveler).

En quoi cette nouvelle génération diffère-t-elle de la précédente ? Tout d'abord, les jeunes adultes vivent dans un monde plus complexe, plus insécurisant et en constant changement. Il en résulte que les employeurs devront nouer avec eux une relation plus contractuelle et, surtout, reposant davantage sur la confiance. La philosophie des jeunes adultes consiste à dire : « Voilà ce que je vous apporte. Vous, qu'avez-vous à m'offrir ? » Ils sont très conscients qu'ils travaillent pour le profit de quelqu'un qui est déjà bien riche. Il ne faut donc pas leur demander de s'investir à fond. S'ils se font avoir, ils deviennent cyniques !

Ensuite, ils sont habitués à recevoir, à séduire, à s'exprimer, et ils sont également plus gourmands, plus opportunistes et beaucoup plus revendicateurs que la génération précédente. Les employeurs doivent donc s'accrocher et s'attendre à ce que les jeunes adultes contestent avant même qu'on ait dit un seul mot. « Être plus, avoir plus », telle est leur devise. Une petite mise en garde est nécessaire : leur discours est ponctué de paradoxes et de contradictions. Ils apprécient les personnes ouvertes à la discussion et manifestant une grande tolérance, aiment ceux qui restent fidèles à leurs positions. Ils vivent ainsi dans une constante « dialectique » entre l'indépendance d'esprit (à laquelle ils aspirent) et l'impératif de conserver leur identité dans un monde complexe.

Enfin, et c'est le résultat de la mobilité, de la diversité et de la rapidité qui les caractérisent, ils ne se laissent pas leurrer par les mots vides de sens. Ils tirent ainsi à boulets rouges sur les termes « partenariat », « objectif », « débriefing » ! De la bouche même de ces jeunes, ces mots à la mode trahissent des intentions trop souvent malveillantes.

Dans un tel contexte, il est impossible d'encadrer ces jeunes adultes aux profils contrastés comme on le faisait hier avec leurs aînés. Donnez-leur des défis qu'ils seront les premiers à relever. Ils adorent être aux premières loges. La génération millénaire sait s'adapter et aime créer des réseaux. Elle est instruite et aime apprendre. Sont-ils loyaux ? Pas du tout. Intimidés ? Très peu. Ils sont à l'aise devant l'autorité, peut-être même trop. Certains ont eu un père qui travaillait beaucoup et qu'ils n'ont pas vu. Ils vont donc chercher des mentors, mais la relation est parfois inappropriée. Comme les jeunes adultes misent plus sur l'affectif que sur le rationnel, le lien émotif est trop fort, et, quand leur mentor quitte l'entreprise, ils sont perdus !

Il ne consomme pas pour assurer sa subsistance, mais pour communier dans le mythe d'un progrès incessant et providentiel, pour afficher les signes du bonheur et de la réussite ; le jeune adulte ne saisit pas une offre d'emploi par nécessité, mais pour prendre part à une « grande aventure », « se réaliser », « se dépasser ».

Comme souvent, le vocabulaire que nous utilisons préfigure les mutations sociales en cours. Lorsque nous parlons du monde de l'entreprise aujourd'hui, nous utilisons de plus en plus souvent les termes « collègues », « sphères d'influence », « alliances », « partenariats », « gouvernement d'entreprise et responsabilité sociale », « droits individuels », « manifestes », « déclaration d'intention » et « responsables », plutôt que le terme « gestionnaires ». Dans ce nouveau monde, la génération Y veut que nous prenions ses opinions en considération dans le processus menant aux décisions. Plus précisément, les motivations de ces jeunes adultes découleront des objectifs à atteindre, de l'innovation, de la volonté de participer à la création de quelque chose d'important ou de beau.

Qui changera qui ?
Les entreprises attendaient autrefois que les employés soient tout simplement présents. Désormais, elles exigent d'eux qu'ils se montrent transparents. Hier, c'étaient les corps et les mouvements dans les usines que Frédéric Winslow Taylor et Henry Ford traquaient. Dorénavant, ce sont les valeurs des collaborateurs, leurs croyances, leur intériorité, leur

personnalité qui sont convoitées. Une évolution sociologique majeure. Sous l'influence du management postmoderne, la frontière entre la sphère privée et la sphère publique devient un enjeu de lutte historique, à l'instar de l'émission *Loft Story*, qui expose médiatiquement ce qu'autrefois on cachait: son intimité.

Les managers recherchent l'«efficacité totale», à grands coups d'organisation matricielle, de logique de réseau, de bureau virtuel, de *team*, de *task force* et autres *fringe benefits*. À ce modèle managérial correspond un collaborateur mutant, sorte de superman dont les qualités personnelles (le «savoir-être») deviennent aussi importantes pour sa carrière que ses talents professionnels (le savoir-faire).

Hier, hormis leur préoccupation pour les opinions politiques et syndicales de leur futur employé, les chefs du personnel examinaient avant tout les capacités «techniques» des candidats – attestées par l'expérience et par les diplômes, validées par les certificats de travail et sacralisées par le cahier des charges. Actuellement, les directeurs de ressources humaines complètent leurs investigations en étudiant avec une extrême attention le profil de personnalité du candidat potentiel, ses compétences sociales, son «intelligence émotionnelle» (ou QE), sa «résilience», son talent de créer des liens, à animer des réseaux internes, à communiquer, à gérer des conflits. Bref, à incarner les nouveaux canons de l'excellence organisationnelle.

Les jeunes adultes ne sont évidemment pas dupes de ce mouvement pervers. Ils comprennent aisément que ce management relève d'une stratégie destinée à «mettre les individus au travail, les contrôler, les prendre au piège de leurs propres désirs, les séduire». La plupart savent très bien déjouer les stratagèmes et opposer des tactiques résistant à cette transparence nécessaire et à ce dévoilement obligé. Ils sentent intuitivement que ce management vise à abolir la distance entre le travailleur et l'entreprise et tente d'engendrer l'adhésion aux valeurs des organisations. Ils ne désirent ni marcher sur des braises, ni vivre des raids de survie, ni suivre des cours de management de soi-même, ni enfin être psychanalysés sur leur lieu de travail. Ils savent pertinemment que l'entreprise ne leur offre pas un cadre de protection suffisant pour tout dire, tout montrer, tout dévoiler et donner accès à leur employeur au plus précieux d'eux-mêmes : leur identité de femme ou d'homme.

Nom de code : *next*. Le jeune adulte passe d'un accessoire à l'autre, d'un travail à l'autre, d'une relation à l'autre. Six mois représentent pour lui une éternité. Pour lui, tout doit se vivre dans l'intensité du court terme, en laissant toutes les options ouvertes, en faisant appel à la déraison, au déséquilibre, à la folie ou au plaisir. Soit il comble lui-même ce qu'il perçoit comme des « lacunes », soit il n'entre pas dans le cadre ou les limites proposées. En somme, c'est un véritable mercenaire ! Il ressent à certains moments la nécessité d'affirmer sa capacité de refuser, de fuir. Bien entendu, il y a là un danger pour le parent comme pour l'employeur. Nous manquons de patience. Prudence, donc. Petit rappel aux employeurs : souvenez-vous d'être patients quand vous vous adressez à cette jeunesse. La patience vient à bout de ces jeunes. L'indifférence du jeune adulte cède alors aisément.

Pour le gestionnaire, l'important est de revoir le temps alloué aux rencontres informelles avec ces jeunes travailleurs afin de créer avec eux suffisamment de liens significatifs qui permettront de mieux faire face aux situations urgentes lorsqu'elles se présenteront. J'insiste également sur l'importance de la *game*: le jeune adulte aime le jeu, la poussée d'adrénaline, le défi. Écoutez-le, lisez-le, mais regardez-le aussi. De toute façon, il ne tient pas plus à être oublié qu'à passer inaperçu. Respectez sa personnalité et son intelligence, tenez compte de son désir de complicité et misez sur son besoin de changement. Il a déjà tous les atouts pour vivre le changement. C'est aussi une chance pour l'employeur!

Les entreprises qui sauront reconnaître les besoins et les attentes particuliers des jeunes employés se démarqueront des autres et consolideront ainsi leur avenir, voire leur réussite. Les jeunes représentant la relève, il importe de mettre en place dès maintenant des politiques de ressources humaines qui tiennent compte de la vision et des valeurs de la génération Y – en gardant à l'esprit que les employés aspirent à être des citoyens, et non de simples ressources humaines. On doit amorcer ce virage vers l'avenir en commençant par faire un diagnostic organisationnel, puis le compléter par l'élaboration d'un manuel d'employés traduisant des politiques de gestion des ressources humaines adaptées aux nouvelles réalités. Sous la pression de leurs salariés, les dirigeants d'entreprise vont devoir se montrer plus ouverts et surtout plus pédagogues. Les employeurs devront trouver des moyens, voire des lieux informels, permettant aux nouveaux travailleurs d'échanger leurs expériences et ainsi de reformuler ce qu'ils ont appris.

Les entreprises devront aussi revoir leurs structures décisionnelles. La génération X n'a pas réussi à modifier la structure verticale. Aujourd'hui, la prudence est de mise car la génération Y tient ardemment à une structure horizontale favorisant le travail en équipe, c'est-à-dire à davantage de considération, de concertation, de collaboration, et permettant à tous d'être, à des degrés divers, les partenaires d'une même aventure. Malheureusement, beaucoup d'entreprises se caractérisent encore par des structures très verticales, où ce sont les cadres – président, vice-président, directeur – qui prennent la majeure partie des décisions. Si on ajoute à cela des horaires rigides, des programmes de travail chargés et une organisation individualiste du travail, force est de constater que les conditions ne sont pas favorables à la diffusion de méthodes actives et interdisciplinaires.

Les employeurs désireux de bien comprendre cette nouvelle génération de travailleurs doivent tenir compte de trois facteurs : 1) le milieu d'où est issu le jeune travailleur ; 2) les influences de ce milieu sur le jeune travailleur ; et 3) les nouvelles approches de gestion. Dans cette optique, ils doivent suivre un scénario sur mesure reposant sur trois étapes clefs : un contexte, un problème, une rencontre. Chaque jeune travailleur a son propre ensemble de valeurs, sa vision de l'autorité, son sens de la fidélité, ses espérances et sa conception de son environnement de travail. Une des principales stratégies permettant de rendre le lieu de travail attirant pour ces nouveaux travailleurs est d'assurer sa diversité. En effet, le défi que doivent relever les gestionnaires et les hautes directions est d'avoir des employés doués qui soient disposés à rester tout en restant motivés. Le secteur privé est déjà bien engagé dans ces réformes, mais le secteur public n'a toujours pas adopté ces nouvelles orientations. Il n'a même pas commencé à changer ses façons de traiter son jeune personnel. Si rien n'est fait rapidement, très peu de recrues resteront au service de la fonction publique. On note également une tension intergénérationnelle dans toutes les organisations : les jeunes ne font aucune différence entre eux et les anciens. Au contraire, ils mettent en avant leurs diplômes pour faire leur place, voire prendre celle de leurs aînés.

Afin de faire une lecture plus appropriée des besoins et des attentes de tous, l'employeur doit en outre mieux saisir ce qui distingue les hommes et les femmes dans l'approche du travail. Les jeunes hommes accordent la préférence aux éléments suivants : orientations claires, bilan, validation, distinction, égalité professionnelle. Les jeunes femmes possèdent des capacités interactives plus élaborées et recherchent davantage la concertation, le dialogue, l'écoute active, de même que l'équité salariale, voire davantage de confiance.

Il est d'autant plus impérieux de bien intégrer la génération Y dans le monde du travail que la situation démographique de l'Occident est préoccupante. Selon les projections, le nombre de travailleurs va baisser à partir de 2011. Relancer le taux de natalité ne doit pas être un objectif en soi et, surtout, ne pas nous détourner des vraies valeurs que sont la lutte pour l'égalité entre les hommes et les femmes ou la volonté de mieux intégrer dans la société les populations d'origine étrangère et les personnes âgées. Si les gouvernements ne réagissent pas, leurs politiques publiques risquent d'être dictées par l'urgence. Elles devront parer au plus pressé en consacrant une grande partie de leurs moyens à la santé des personnes en fin de vie. L'équilibre entre les générations en sera bouleversé. Les dépenses iront en priorité aux plus âgés. Or, il faut des moyens pour préparer l'avenir, en particulier en améliorant l'insertion professionnelle des jeunes.

À présent, les populations savent qu'elles n'ont plus besoin de faire beaucoup d'enfants pour assurer leur descendance. Nous vivons de plus en plus longtemps, et en bonne santé. L'un des rêves de l'humanité est en train de se réaliser. Il est temps d'adapter nos sociétés à ce bouleversement, au lieu d'exhorter les Occidentaux à faire plus d'enfants. Repensons nos cycles de vie. Le modèle actuel – études, travail, retraite – n'est plus satisfaisant. La répartition du travail entre les générations doit se faire autrement. Les « vieux » d'aujourd'hui ne sont plus les vieillards d'hier. Restons donc sur nos gardes quand nous interprétons les projections démographiques !

Dans les pays développés, il y a aujourd'hui 25 personnes de plus de 65 ans pour 100 actifs; on en comptera environ 53 en 2050. De plus, les individus entrent de plus en plus tard dans la vie adulte et sur le marché du travail. L'enjeu principal des prochaines décennies sera donc d'améliorer le taux d'emploi des plus de 50 ans. Pour ce faire, les pays développés doivent absolument encourager l'emploi des seniors et l'allongement de la vie active s'ils veulent relever le défi du vieillissement de leur population. De nombreux pays ont déjà réduit les possibilités de retraite anticipée (par exemple, Italie, Finlande, Espagne, Norvège et France), augmenté l'âge légal de départ à la retraite (Autriche, Suisse ou Belgique) ou encouragé le travail après cet âge (Espagne, Danemark ou Royaume-Uni).

Leadership créatif : l'originalité dans les approches
Allonger la durée de la vie active est une chose, mais il faut aussi tirer tout le parti possible des jeunes adultes entrant dans la vie active. Dans cette optique, l'employeur doit être conscient des contributions que les jeunes adultes pourront apporter aux plus vieux. Approche plus directe, démystification de l'autorité,

ferme exigence d'être consulté, apport des nouvelles technologies, recherche de nouvelles solutions, unicité, défi, délégation : autant de valeurs qui définissent la nouvelle génération. Mais, à l'inverse, il faut aussi être attentif à ce que les plus anciens pourront transmettre à la nouvelle génération : doute raisonnable, diplomatie, modestie, fidélité et esprit de solidarité, patience, volonté d'approfondir, expérience, clauses collectives, etc. Plus encore, l'employeur se doit d'embaucher des personnes âgées de 50 ans et plus. Aucune excuse n'est admissible, car ces hommes et ces femmes qui sont ou seront à la recherche d'un nouvel emploi possèdent un bagage d'expériences inestimable et sont prêts à accompagner la relève sur de nouvelles bases.

Quelques suggestions pour mieux intégrer la génération Y dans le monde du travail.

Les attentes de la génération Y	Les réponses suggérées pour l'employeur
Consomme beaucoup.	Faites preuve d'humour.
Jouir de l'instant présent, tout en pensant à l'avenir.	Diminuez les contraintes, les surveillances.
Privilégier la famille, les amis et les groupes.	Accordez des heures de travail flexibles.
Rechercher la diversité et le changement.	Proposez de nouveaux défis, diversifiez les tâches, offrez des occasions de promotion.
Bénéficier d'une rétroaction en continu sur ses compétences.	Proposez des rencontres informelles.
Être encadré de façon souple par des personnes compétentes.	Saisissez la différence entre compétences universitaires ou scolaires et ancienneté et expériences.
Être traité d'égal à égal, sans être soumis à la hiérarchie.	Privilégiez la collaboration sur un mode « horizontal » plutôt que sur un mode « vertical ».
Partager ses émotions.	Offrez un lieu de travail convivial, qui ne soit ni familial ni paternaliste.
Obtenir des gratifications immédiates.	Offrez des avantages permettant de développer leur « employabilité ».

Ne pas sacrifier la vie privée au travail.	Proposez des approches souples en matière de charge de travail.
Tirer parti de la confiance qu'ils ont en eux-mêmes.	Tirez le maximum de leurs talents.
Faire coïncider valeurs personnelles et valeurs de l'entreprise.	Invitez-les à la table de discussion.
Se sentir « engagé ».	Demandez-leur souvent leurs opinions sur les façons de faire le travail, sur l'équipement et sur la formation dont ils croient avoir besoin.
Développer un fort sentiment d'appartenance et de fierté.	Créez des liens à travers des activités informelles.
Connaître le sens de ses actions.	Assurez-vous que les directives sont claires et brèves.
Être valorisé.	Proposez de nouvelles tâches et de nouvelles missions.
Être efficace.	Sachez discerner le qualitatif du quantitatif.
S'organiser.	Laissez-les aménager leur espace personnel comme ils l'entendent.
S'épanouir personnellement.	Accordez-leur un jour sur cinq, soit 20 % de leur temps de travail, pour travailler sur un projet personnel apportant un plus à l'entreprise.
Être autonome et responsable.	Faites-leur confiance et ne leur demandez pas toujours des comptes.
Travailler en équipe.	Que votre mot d'ordre soit : « Ma victoire est celle d'une équipe. »
Lutter contre les inégalités.	Assurez-vous que l'écart entre le plus haut et le plus bas ne paraît pas insurmontable.
Créer un milieu de travail convivial, cool.	Assurez-vous qu'ils sont à l'aise pour parler de leurs préoccupations à l'égard de l'organisation du travail.
Être apprécié est plus important que d'être performant.	Intéressez-vous davantage aux employés en tant qu'individus.
Le lien avec le mot : reconnaissance.	Leur donner des journées de congé payé.
En cas d'absence.	Accueillez-les personnellement à leur retour au travail.

Si la liste vous paraît longue, rassurez-vous : aucune organisation n'arrive à incarner ces 26 attributs. Lorsqu'elle répond à plus de la moitié des attentes, c'est déjà bien.

Il est cependant primordial de se préparer à accueillir cette nouvelle génération dans l'entreprise. Le message essentiel que doivent retenir les employeurs est en effet le suivant : le niveau de loyauté des nouveaux diplômés à l'égard de l'entreprise est beaucoup plus faible que celui des générations précédentes. Ils ne conçoivent pas leur carrière de manière linéaire. Ils choisissent plutôt de travailler dans une entreprise donnée « parce que ça fait bien dans un CV », puis font un deuxième cycle dans un domaine différent avant de devenir des travailleurs indépendants. Ils veulent garder la maîtrise de leur « carrière », si tant est que ce terme s'applique à eux, plutôt que de laisser l'entreprise la gérer. Leur « plan de carrière » est indissociable d'une quête de sens. Ils sont également moins friands de prestige que leurs aînés. Peut-on vraiment leur en vouloir ? Bon nombre de ces jeunes ont vu leurs parents se faire licencier dans les années 1990 après 15 ans de bons et loyaux services.

Ces adultes de demain, que le monde du travail attend avec enthousiasme, ne craignent pas le chômage ; ils craignent un peu la guerre et redoutent le sida. Ils aiment leurs parents, admirent leurs professeurs, ne veulent pas manquer d'argent, ne sont pas unanimes à propos de la décriminalisation de la marijuana, ne rêvent plus à l'Australie et s'inquiètent de l'avenir du français en Amérique du Nord. Ils veulent aussi donner de leur temps à la société, en dehors du travail. Ils préféreront s'engager dans une petite boîte informatique plutôt que de travailler pour IBM, parce que les rapports y seront plus humains et que leur opinion aura plus de poids auprès de la direction.

158

L'important est d'abord de comprendre ce qui se passe dans leurs têtes, de saisir leur vocabulaire où sont absentes les notions de structure, de hiérarchisation, d'objectivité, de stabilité. Ils privilégient des termes plus conviviaux : « guider », « accompagner », « soutenir », « motiver », « faciliter », « partager », « mobiliser ». Ils préfèrent s'engager en fonction de leurs valeurs plutôt que de celles des autres. Leur connaissance de soi passe avant tout par une certaine forme d'indépendance d'esprit. Si vous tenez à les garder pendant quelques années, offrez-leur un salaire de base complété par des bonifications liées à un ensemble de réalisations (ponctualité, engagement, loyauté, respect des échéanciers, sens de la collectivité). En effet, ils adorent le défi, la provocation douce, la comparaison, la négociation, les petites améliorations.

La génération Y poursuit ses études plus longtemps que la génération précédente. Elle voyage régulièrement, a accès à plus d'informations que n'importe quelle autre génération, utilise davantage la technologie et est plus apte à « penser en dehors de la boîte ». Les diplômés veulent apprendre constamment, relever des défis intellectuels et, sans cesse, se réaliser professionnellement. Certains jeunes qui arrivent dans les entreprises ont travaillé à l'étranger, ont assumé différentes responsabilités, ont deux ou trois diplômes universitaires et parlent aussi deux ou trois langues.

En raison de la concurrence, les employeurs devront parfois payer des salaires exorbitants pour attirer ces diplômés et les conserver. Attirer les diplômés est devenue une pratique coûteuse, fortement organisée et soumise à la concurrence, en particulier dans des secteurs de pointe. Les entreprises qui le font espèrent avec raison trouver un candidat qui restera suffisamment longtemps dans l'entreprise pour leur procurer un bon retour sur investissement.

Voici quelques exemples d'avantages, de compensations ou de récompenses qu'on peut offrir pour attirer les diplômés:

–rémunération de départ plus élevée;

–primes de relocalisation;

–bonifications liées au chiffre d'affaires;

–bonifications liées aux performances individuelles;

–congés annuels importants;

–pensions, accès à l'assurance-vie et à l'assurance-maladie privées;

–accès à des programmes d'entraînement physique;

–modèles de fonctionnement flexibles;

–abonnements annuels à divers événements;

–rabais sur ordinateurs portables, cellulaires et autres produits et services;

–voiture de fonction, après une période d'éligibilité (particulièrement dans les ventes ou dans la gestion);

–autres avantages: assurance dentaire, rabais pour les services de garde, voyages, etc.

Les diplômés font preuve de plus en plus de sophistication dans leur recherche de travail. Ils comparent les offres des employeurs et sont toujours à la recherche de meilleures conditions d'emploi. Il n'est pas rare qu'un diplômé s'inscrive dans des sites Web de recrutement, même s'il est heureux dans son travail. À ses yeux, les avantages liés au salaire sont souvent insignifiants comparés aux perspectives d'études et au fait que l'environnement professionnel offre des défis constants et surtout permette de travailler sur divers projets. En témoigne la nouvelle tendance du *speed jobbing* ou du *McRecrutement*, qui met face à face candidats et recruteurs le temps d'entretiens menés tambour battant... Cela se passe de commentaires.

Les nouveaux diplômés sont appelés à devenir les gestionnaires de demain. Il est donc extrêmement important de les attirer, de les gérer et de les conserver. Les stratégies qui fonctionnent comportent les éléments suivants : 1) créer une culture d'entreprise favorisant la formation (formation intégrée et appropriée, sessions internes de gestion de réseau, possibilité de poursuivre des formations professionnelles) ; 2) favoriser une nouvelle conception du travail permettant aux individus de naviguer entre les équipes, les directeurs et les projets pour satisfaire des objectifs à court et à long terme ; 3) grâce à une formation continue et au mentorat, aider les diplômés à assumer de plus grandes responsabilités et à apprendre de leurs erreurs et de celles des autres ; et 4) faire bénéficier les diplômés du soutien des cadres supérieurs.

Réinventer les préliminaires

N'ayons pas peur de le dire, le jeune adulte sera le génie du *faire savoir*. Il a plusieurs talents, et ses horizons ne s'arrêtent pas à sa profession. Au contraire, il colle au moment présent, stocke tout ce qu'il voit, invente de nouveaux concepts au rythme des images qui captent son regard. Ses traits de personnalité ne cessent de surprendre : il est cultivé, curieux, impatient, voyageur, instable, et surtout porteur d'une ambiguïté, mais qui ne s'exprime pas d'emblée.

Aujourd'hui, le jeune adulte s'éclipse en douce. Il s'organise pour que l'espace de son travail n'ait pas l'air vide en son absence. Partir, oui, mais sur la pointe des pieds.

Le voici, sous le couvert du lâcher prise, évoluant dans son milieu du travail en sachant qu'il recèle une multitude de défis individuels qu'il convient d'aborder avec une feinte insouciance. Il se rêve en séducteur. Il travaille sur lui pour devenir un autre. Le jeune adulte n'a pas le droit à l'erreur : en un mois, six mois tout au plus, le verdict de l'employeur tombe.

Le jeune adulte s'amuse par avance de la réaction de son supérieur et de ses proches. Cette indifférence est une posture, un complot ludique. Puis le doute s'insinue, lancinant, terrible. Serait-ce lui qui se trompe ? Il en vient à douter de tout, y compris de la lucidité de son regard. D'où l'importance de bien placer les balises lors de son arrivée dans l'entreprise, plus précisément lors de la première rencontre, lors des préliminaires. Il faut réinventer l'accueil, s'assurer de bien le présenter aux autres et, surtout, de bien le représenter face à ces collègues. J'insiste sur ce point !

La génération des baby-boomers, tout comme la génération X qui l'a suivie, a multiplié les réformes et mis en place des ressources à la fois humaines et techniques pour accélérer les processus, voire les stratégies, et les communications dans le but premier d'accroître les bénéfices. Quant à la génération Y, elle favorise (ou favorisera) la créativité afin de faire face, d'une part, à une mondialisation déchaînée et, d'autre part, à la concurrence vive pour de nouveaux défis dans les entreprises.

Pour la génération Y, tous les lieux sont propices à faire naître de nouvelles idées (chalet, campagne, week-end). Elle n'a pas de temps à perdre. Voilà tout le paradoxe. D'un côté, elle est avide de loisirs ; de l'autre, elle a une soif d'appropriation, d'unicité, le besoin de trouver l'indice manquant. Mais peut-elle le faire en cédant à une attirance, sans risquer de se perdre en route, comme c'est arrivé à plusieurs de ses prédécesseurs? Cette ambiguïté est saisissante, incisive et percutante.

Les jeunes adultes deviendront ce qu'ils ont vécu : ils apprennent contre une récompense. Ils sont issus d'un monde où les deux parents travaillent et où les couples se séparent. Ils ont été les premiers à se balader une clef suspendue au cou. Leurs parents ont planifié des activités pour eux, avant et après l'école, et pendant le week-end. Ainsi, lorsqu'ils arrivent sur le marché du travail, ils gèrent souvent leur temps pour la première fois. Mais, dès leur plus jeune âge, ils se gardaient eux-mêmes et se faisaient à manger : ils savent donc compter sur eux-mêmes. Leur obsession : traquer la léthargie.

Leur système de valeurs repose plus sur des droits que sur des responsabilités. Leurs parents ont favorisé leur estime de soi (sentiment de confiance) au point qu'ils ne connaissent pas la modestie. Plusieurs d'entre eux ne connaissent pas non plus la valeur des choses (les parents ont négocié le prix mais rarement l'achat) et sont habitués à tout obtenir sans effort. Ils ne sont pas prêts à accepter autant de contraintes que leurs prédécesseurs.

Cette éducation a des effets pervers. Ces jeunes ont tendance à surestimer leurs capacités et à chercher à obtenir des mandats pour lesquels ils ne sont pas suffisamment mûrs.

On assiste donc à un véritable choc de valeurs. Alors que l'effort, l'engagement et la fidélité envers l'employeur sont importants pour les gestionnaires actuels, les jeunes adultes veulent travailler moins fort et être mieux rémunérés, tout en veillant d'abord à leurs intérêts personnels. Moins nous sommes sûrs de nos valeurs, plus ils haussent le ton. Moins nous sommes capables de réfléchir à la question du mal ou de nous accorder sur une définition du bien, plus les jeunes adultes seront contrariés de répondre aux questions. Le vide des idées débouche sur le vacarme des mots, lequel continue d'enfler à mesure que le vide se creuse davantage.

S'adapter aux changements : un impératif

Pour la génération Y, la question n'est pas tant de savoir *ce qu'elle fait,* mais *pourquoi elle le fait, pour qui* elle travaille (valeur centrale pour la génération X), mais *pourquoi* elle travaille. Il est impossible de passer outre ce besoin d'explication si on veut que la nouvelle génération prenne à son compte les engagements de l'employeur. Cette jeunesse a un besoin impérieux des repères moraux fournis par ses pairs. Il en va dans nos sociétés de la tolérance comme de la raison : plus on en parle, moins on la pratique. Nous vivons un moment de verbalisation universelle où on laisse le mot se substituer à la chose au point de l'escamoter. D'où le paradoxe d'une humanité qui n'en finit plus de se réclamer des Droits de l'homme, alors que la liberté de penser et d'écrire s'étiole sur le sol même qui l'a vu naître. Tout le monde parle de valeurs, mais plus personne ne parle de responsabilités. Si tout est une valeur, si le travail est une valeur, alors qu'est-ce que la valeur ? La valeur travail, c'est le mérite, l'effort, l'engagement, l'accomplissement. La responsabilité, quant à elle, ne se négocie pas : elle vise par essence à prendre soin de l'autre. C'est une forme d'affect commun qui fonde le lien social, la civilité et toutes les formes de savoir-vivre.

Un jour ou l'autre, inévitablement, il va falloir en finir avec les droits acquis – les avantages des uns, ceux des autres –, il va falloir redistribuer les cartes. La retraite à 60 ans ? Il ne faut pas se leurrer, il va

164

falloir faire reculer l'âge de la retraite de huit ou dix ans. Notre génération aura peut-être encore droit à la sienne, mais la génération Y en fera les frais ! C'est pratiquement incontournable. Tous les pays sont en train de repousser l'âge de la retraite à 67 ans, non seulement en raison des contraintes que la démographie fait peser sur l'économie, mais également parce que cela répond souvent aux aspirations de beaucoup de travailleurs de 60 ans, dont l'état de santé est bien meilleur aujourd'hui qu'il y a 20 ans (exception faite de certains métiers très pénibles). Pourquoi nier cette réalité ? Quel avantage en tirerons-nous, à part le confort à court terme d'une génération déjà largement épargnée et qui choisit d'alourdir encore la dette de ses enfants et petits-enfants ?

Pour procéder à ces remises en question nécessaires, il faut toutefois pouvoir se projeter dans un avenir auquel on adhère, c'est-à-dire croire peu ou prou au système auquel on participe, ce qui suppose à l'évidence une forme de confiance. Or, aujourd'hui, la confiance ne relève plus de la foi mais d'une éthique laïque, d'un comportement soumis à des règles fiables. En cela, la confiance dans le capitalisme repose sur le crédit qu'on lui accorde ; il a besoin d'entraîner l'adhésion. Or, c'est précisément ce crédit qui est aujourd'hui ruiné. Les instruments financiers sont devenus fous. Les mouvements d'« alterconsommateurs » ou d'« anticonsommation », ainsi que ceux qui prônent la « décroissance », constituent des indices très graves de la démotivation ambiante, c'est-à-dire de la perte de motifs – et donc de raison – qui frappe ce système. Le capitalisme a en quelque sorte perdu son esprit : les gens n'y adhèrent plus. Y compris les cadres d'entreprise, qui souffrent eux aussi de démotivation. Or, il n'existe pas aujourd'hui d'alternative crédible au capitalisme.

Le jeune adulte fait lui aussi partie des propos caractéristiques de l'époque elle-même alors que, dans ses moments sombres, elle perçoit la personne comme un preneur de risque menacé par la concurrence, aveuglé par la jalousie, stigmatisé par l'échec ; ici, les acteurs apparaissent sur la scène mondiale comme des balles avec lesquelles jouent les puissances de l'illusion, les malins génies, les spectres de l'argent et les démons de la cupidité. Alors, employeurs, sachez que la génération Y est consciente qu'au bout du compte, et du point du vue fonctionnel, il n'existe dans la vie économique que des innovateurs ou des imitateurs. Elle fait heureusement partie de la première partie, soit des innovateurs. Elle n'est pas encore encerclée par les ruses du marché.

Dans chaque situation et dans chaque profession, le jeune adulte a besoin, pour son action, de connaissances techniques spécialisées qui portent sur les choses et sur sa propre existence. Mais jamais ces connaissances techniques ne peuvent lui suffire. Car elles ne tirent leur sens que de celui qui les possède. Ce qu'il peut en faire, ce n'est que son vouloir authentique qui peut le déterminer. Les meilleures lois, les institutions les plus parfaites, les résultats scientifiques les plus exacts, les techniques les plus efficaces peuvent être utilisés à contresens. Ils perdent toute valeur lorsque le jeune adulte ne leur fait pas correspondre une réalité significative. Il n'est donc pas possible de modifier le cours des événements par une simple amélioration des connaissances technologiques ; seul son *audace* peut le déterminer de façon décisive : ce qui est à la source de l'action de la génération Y, c'est son attitude intérieure, la conscience qu'elle prend de sa situation dans le monde, le contenu de ses satisfactions et de ses réalisations.

Le changement est essentiel pour la génération Y. Les jeunes adultes aiment voyager, apprendre de nouveaux concepts, de nouveaux systèmes, de nouveaux défis. Laissez-les vous représenter dans les congrès, les conventions : ils frissonnent à l'idée de serrer la main à un étranger. Que vous soyez d'accord ou non, ces reconnaissances seront fidèles à leurs engagements. Ils réagissent mal aux contraintes, voire à la répétition et aux limites. Ensemble, saisissez les occasions de retrouvailles. Ils ont compris la fameuse phrase d'Einstein : « Notre époque se caractérise par la profusion des moyens et la confusion des intentions. » Dans le même sens, Georges Bernanos (1888-1948) précise qu'on est en droit de reprocher à la société moderne la déception qu'elle occasionne, « la disproportion scandaleuse des moyens dont elle dispose aux résultats qu'elle obtient ». Les jeunes sont conscients que vous, les employeurs, êtes bien riches. Alors cessez de leur dire non pour quelques dollars. Les profits, d'accord, mais ils ne doivent pas être engrangés au détriment de l'actualisation de vos employés. Vous devrez faire comprendre ce dilemme aux actionnaires, et ce seront les plus difficiles à convaincre. Les employeurs doivent comprendre tout le risque qu'il y a à accorder une attention « trop grande » aux compétiteurs et aux fournisseurs au détriment de leurs employés.

À vous de surprendre les jeunes adultes, lors de rencontres formelles, par des histoires inédites telles que celle-ci. Alan Turing, condamné en 1952 par la justice anglaise à la castration chimique en raison de son homosexualité, se suicida en juin 1954 en mordant dans une pomme imbibée de cyanure. Ce mode de suicide est un trait d'humour noir : il fait référence au conte de Blanche-Neige que la pomme empoisonnée de la sorcière plongea en catalepsie, et que le baiser d'un prince charmant réveilla. Selon des hypothèses très sérieuses, c'est la pomme mordue par Turing qui a inspiré le logo du fabricant d'ordinateurs Apple, en hommage à l'un des principaux pionniers de l'informatique. En somme, ne privez pas le jeune adulte de la possibilité de vivre des moments d'expériences uniques.

Le fondement pragmatique de la culture de la génération Y est de prendre des risques calculés, à l'horizon de l'incertitude, sur un champ d'action global. Le goût du risque dont font preuve les jeunes adultes est animé par la nécessité du renouveau, avec l'espoir que leurs compétences dites transversales (langue seconde, qualité de leadership, vision internationale, force d'orateur, éveilleur d'idées créatrices) feront l'objet d'une attention remarquée de la part de l'employeur. Ainsi, lorsqu'on maintient la génération Y dans l'anonymat ou le silence, on confine les jeunes adultes à ne recourir qu'à eux-mêmes pour se conseiller, se persuader, bref à se donner eux-mêmes le signal de l'inhibition des actes – ou à s'en remettre à un tiers. Lorsque le scepticisme se renforce, le jeune adulte se spécialise dans une absence de conseil généralisé.

Être « employeur », cela signifie adopter une position permettant à ses employés de passer de la théorie à la pratique. D'ordinaire, cette transition se produit lorsqu'un employé a trouvé le motif qui le libère de l'hésitation et le désinhibe, lui permettant d'agir. La génération Y est convaincue de la valeur de ses opinions. Ne la privez pas de cette possibilité. Vous risqueriez de provoquer chez elle un désengagement assuré. Le rôle de l'employeur repose sur la décision de présenter le succès économique et ses facteurs (énergie dirigeante, intuition, charisme, etc.) comme quelque chose qu'on peut apprendre en recourant à des méthodes plus ou moins sûres. Il doit susciter chez ses employés la conviction qu'on peut établir un lien maîtrisable entre le projet et la réussite. Une tâche à ne pas négliger avec les jeunes adultes. L'entreprise doit faire le pari de promouvoir des mécanismes de consensus et de coopération à grande échelle. Elle doit miser sur l'information critique, c'est-à-dire intéresser le jeune adulte et le «fidéliser» en lui donnant les occasions et les moyens de penser même (et surtout) en le distrayant, mais sans jamais flatter son goût pour la paresse et la vulgarité.

Le mot d'ordre : innover

Le poids des images, le choc des slogans, la pesanteur du regard des autres, tout est lourd. Les jeunes adultes ont compris qu'ils doivent passer à l'action, une action innovatrice, qui constitue la porte d'entrée de la modernité. Ils bousculent les identités en créant une interaction sans précédent entre eux et le monde, le local et le global, la tradition et la nouveauté. La mutation en cours est à la fois lente et spectaculaire, mais elle se produit à tous les niveaux. Le rêve n'est plus ailleurs. Cette génération s'éveille et prend conscience de ses moyens et de sa puissance.

Retenons le mot «profondeur», car les jeunes adultes en auront bien besoin. Ce mot prend une valeur de recommandation. Dans l'océan des idées, il faut tenter de pêcher plus profond. Être habité par l'idée de l'innovation, c'est donc renoncer au *renoncement contemporain*. Mille et une raisons viennent aujourd'hui miner, jour après jour, toute détermination agissante. L'air du temps est encombré de signes, de signaux et de murmures qui invitent chacun de nous, et en particulier les 15-25 ans, à la sagesse prudente, à la modestie, à l'intelligence, à l'instant présent. Soyons clairs : nous n'avons pas encore les mots pour définir ce changement ; il faudra les forger.

Avons-nous réellement pris acte de tout cela ? À voir se perpétuer les anciens réflexes, les vulgarités, les certitudes et les affrontements, on peut en douter. Pourtant, j'ose encore espérer que cette nouvelle génération ne se laissera pas envahir par le regret et la nostalgie, le refrain des générations précédentes. Or, l'idée clef de ce livre, c'est précisément de dire haut et fort à cette jeunesse : «Refusez la pensée restreinte !» Face au basculement, il est légitime d'éprouver mille craintes, mais il est nécessaire de s'en affranchir. Il faut repousser sa propre nostalgie, au besoin en serrant les mâchoires. À ce sujet, mon engagement est à la fois clair et marqué par la conscience de ses limites. Tout engagement n'est-il pas une décision prise pour une cause imparfaite ?

La frayeur que mes contemporains éprouvent devant l'inconnu m'habite moi aussi, et j'essaie de la tenir en respect. La question est entière : êtes-vous prêts, les «rois adultes», prêts à renoncer aux disputes convenables, aux apparences trompeuses, et autres facilités ? Puisque la mutation annoncée est considérable, puisque le vieux monde est mort (de la bouche même des jeunes adultes), comment pourrait-il y avoir de pensées et de langages qui ne soient pas *réinventés*?

Les employeurs devront s'accrocher, car les jeunes adultes arrivent avec un cartable bien rempli, une description détaillée de leurs attentes, et, à la moindre provocation, ils leur lanceront une phrase déconcertante en plein visage. La servitude du lien avec le «collectif» est brisée ! Autonome, le jeune adulte est désormais le législateur de sa propre existence. Il est roi ! Il ne doit plus rien à personne. L'éventail de ses choix personnels s'est ouvert, comme jamais ce ne

170

fut le cas dans l'Histoire. C'est à vous, chers employeurs, de célébrer avec une ferveur singulière tout ce qui ressemble à un lien de substitution : fêtes, voyages, bonifications, formations, programmes ciblés – autant de marques de reconnaissance autres que monétaires. Ces moments fusionnels ont d'autant plus les faveurs des jeunes adultes qu'ils viennent combler un manque ou consoler une solitude. L'individualisme a creusé entre les êtres une distance, un vide, que ces cadeaux profanes peuvent quelquefois remplir, l'espace d'un moment. De fait, ces faveurs occupent une place de plus en plus importante dans leur imaginaire collectif et dans les mots qu'ils expriment. Dans le langage de ces jeunes adultes, « s'éclater », « s'exploser » ou « faire la fête » signifie retrouver un *lien*.

Ces jeunes adultes tiennent-ils à leur soumission volontaire pour s'en défaire ? Faut-il privilégier l'idée de « contraintes » ou libérer les énergies qui se fondent sur la facilité et la témérité ? C'est sans doute la plus irrémédiable – et la plus explosive – des contradictions avec lesquelles les employeurs devront vivre, tant bien que mal. Il est sans aucun doute urgent que les organisations entreprennent une réflexion de fond sur les règles, les repères – le sens, plus exactement – pour redéfinir les limites. Or, dans le même temps, la culture dominante de ces jeunes adultes est synonyme de transgression, au point que nous identifions cette dernière à la modernité même. Qu'on songe à leur détermination infatigable à défier les convenances, à briser les silences. Qu'on pense à leur volonté claironnante de pourfendre les « hypocrisies » d'autrefois au nom d'une liberté enfin conquise. Les entreprises vont devoir trouver d'autres façons de vivre ensemble.

Le discours sur la mondialisation fait partie de ces hypocrisies. La mondialisation, dont on nous rebat les oreilles depuis quelque temps, et dont on ne connaît que trop les conséquences pernicieuses, n'est pas un phénomène entièrement nouveau. Elle a seulement pris, comme on sait, une ampleur sans précédent : elle est devenue un enjeu stratégique d'affrontements géopolitiques et sociaux, débouchant sur d'inquiétantes destructions culturelles. Les symptômes sont multiples : guerres impérialistes, montée des nationalismes, conflits commerciaux de plus en plus graves au sein et à l'extérieur du noyau capitaliste, turbulences sociales dans le monde entier. Et cela dans un contexte de déséquilibres structurels de l'économie mondiale et d'accentuation des inégalités sociales tant à l'intérieur des pays qu'entre eux. Or, aujourd'hui les « directeurs de conscience » qui dictent le bien et le mal passent leur vie en notes de frais et sont emmenés par leurs chauffeurs aux grandes tables où les attendent anciens ministres socialistes et penseurs étrangers. La « connivence médiatico-politique » n'est pas qu'une formule.

De manière globale, la remise en cause du monde du travail tient à ces dits et à ces non-dits. Les dirigeants des entreprises s'efforcent de ne pas perdre totalement la face, quitte à nier l'évidence. On ne peut plus ridiculiser ou caricaturer la vision des jeunes travailleurs, ni entretenir la suspicion à l'égard de leur désir bien naturel de conserver, dans la mondialisation, une certaine souveraineté sur leur destin et leur identité, pas plus qu'on ne peut balayer avec mépris toute critique. Ce sont tous ces facteurs, auxquels s'ajoutent les inquiétudes et les incertitudes tenant à ce qu'est leur identité, qui ont poussé les jeunes à frapper aussi fort en proclamant leurs revendications.

Mais, et depuis toujours, on peut aussi faire un bon usage de la mondialisation, qui concerne également les échanges intellectuels et culturels. Les jeunes adultes devront se démarquer pour s'approprier à la fois le langage nécessaire pour nommer le monde, mais surtout garder une curiosité insatiable de ce qui se passe à l'étranger. Nommer la Chine ne suffit plus. Toute l'Europe doit aussi les intéresser, mais également le Brésil, le Mexique, l'Inde, la Turquie, la Russie, ainsi que les autres pays de l'Est, de l'Ouest, du Nord comme du Sud. Le registre est large, très large. Outre la langue, il y a aussi les coutumes, les traditions, les convenances, les appréhensions. Tout se mêle lorsqu'il s'agit de s'asseoir et de discuter affaires, ou simplement de se comprendre. Chers employeurs du secteur privé ou du secteur public, ne tardez pas à proposer un séjour à l'étranger aux employés désireux d'approfondir leurs connaissances, leurs approches, leurs originalités, voire leur expertise.

La logique de la création doit aussi tenir compte de la notion d'expérience. L'idée importante est celle de l'*émergence*. Qu'est-ce qui émerge dans les rapports entre le gestionnaire et le jeune adulte ? Qu'est-ce qui émerge dans les liaisons entre le savoir-faire et le savoir être ? Cette idée d'émergence – comprise également dans les sens de gestation, apparition et activité – structure les différentes logiques de la création. Dans toute initiative visant à mettre en place de nouveaux projets, s'ouvrir aux multiples intelligences et aux savoirs des autres (gestionnaires, employés), c'est sans contredit faire un pas dans la bonne direction. À la différence du spécialiste enfermé dans un champ de savoir, le créateur s'intéresse aux recoupements, aux chevauchements, aux intersections : il travaille dans plusieurs disciplines, circule à travers plusieurs cultures et plusieurs langues, cultive des approximations divergentes et s'interroge sur leur compatibilité.

Les employeurs d'aujourd'hui doivent ainsi relever un défi majeur : permettre à la main-d'œuvre de se sentir partie prenante de l'avenir de son entreprise.

Toutes les sociétés cultivent l'idée qu'elles ont en leur sein des individus qui incarnent l'exception. Ce sont aujourd'hui les jeunes adultes qui jouent ce rôle. Si ce n'est plus eux, il faudra en trouver d'autres.

Chapitre VII

Un nouveau regard

« Un œil pur et un regard fixe voient toutes choses devant eux devenir transparentes. »

Paul Claudel (1868-1955)

« Ne parlons pas d'eux, mais regarde et passe. »

Dante Alighieri (1265-1321)

« Quand la bouche dit oui, le regard dit peut être. »

Victor Hugo (1802-1885)

Se faire confiance

Les sociétés modernes sont à la fois versatiles et grégaires. *On* réagit comme tout le monde, et tout le monde change de système de valeurs en même temps. C'est une opinion commune, fantasque et *légère* qui *pèse* sur l'esprit des individus. Rien n'échappe plus à l'empire de l'éphémère. Le sérieux lui-même devient volage. L'éthique, cette chose si ancienne et si grave, tombe sous la coupe de la frivolité. La mode n'est plus à la mode.

Pourquoi ne pas dire la vérité? L'inconfort de la vérité vaut mieux que celui du mensonge. Le jeune adulte décide donc de réagir à tout ce flou. Et il le fait savoir. Fier d'avoir vaincu le principe hiérarchique, imbu de sa ferveur de revendicateur, ivre de sa tolérance aux différences, il instruit le procès pour intolérance de toutes les formes de vie et de pensée qui diffèrent des siennes. Coincé par des secrets de famille qui se sont perpétués de génération en génération, le jeune adulte dénoue laborieusement et individuellement les nœuds qui les lient pour accéder à leur vérité.

À travers le besoin de cultiver le narcissisme de la différence, de réagir à la standardisation galopante, le jeune adulte recherche une identité visible. La tendance se veut légère, lumineuse. C'est le retour de la fête. C'est l'espoir qui revient. Le jeune adulte adopte une forme de snobisme bien à lui, et qui veut l'adopter doit en connaître les mots clefs.

Le jeune adulte proteste : les générations précédentes n'ont pas suffisamment serti le monde dans des cadres fermes et rassurants, l'obligeant à partager leurs errances amoureuses, leurs batifolages spirituels, leurs hédonismes suspects. Les générations d'hier refusent de vieillir, s'attardent dans une adolescence malsaine, incapables d'accepter leur finitude mortelle et de se mettre en retrait pour laisser enfin leurs successeurs prendre les choses en main.

Pour le moment, ne sachant rien du regard que l'avenir jettera un jour sur sa jeunesse passée, le jeune adulte défend ses convictions avec beaucoup plus d'agressivité qu'un homme mûr ne défend les siennes, car il a déjà fait l'expérience de la fragilité des certitudes humaines.

Par sa curiosité et son originalité, il est en mesure d'établir une chronologie fourmillante de précisions. C'est même là l'indispensable travail préliminaire de sa biographie. Ce qui le rend attachant, c'est qu'il est troublé par des choses simples et fondamentales : ses souvenirs de jeunesse, ses maladresses, ses nombreuses escapades. C'est la victoire de l'instinct et de l'intuition sur la raison.

Narcissique, peut-être. Un tantinet cabot, sans doute. Mais quel talent ! On sait ce qu'il n'aime pas et ce qu'il dénonce. Orateur hors pair, cultivant tous les paradoxes et n'appartenant à aucun clan, ses échanges sont souvent durs et donnent lieu à des empoignades enrichissantes, authentiques et souvent déstabilisantes.

Adulé, jalousé, critiqué, le jeune adulte est avant tout un être respecté qui a su donner le ton en dédramatisant les propos de parents affolés, en verbalisant son mécontentement par ses revendications. Plus précisément, il a vécu comme un papillon égaré et inconscient au milieu de parents sans regard. Beaucoup de détails lui ont échappé concernant sa mère… Une mère trop soucieuse peut-être des apparences. Quant au père, il s'agit d'un homme absent qui n'a pas su établir la bonne distance entre la mère et l'enfant. Le père a presque tout ignoré. Et il a emporté ses secrets avec lui.

Précisément parce que ce sont des questions sans réponse, les questions éthiques dessinent donc en quelque sorte un entre-deux. Le jeune adulte est alors tiraillé par la tension existant entre la raison et la folie, entre le possible et l'impossible, entre le décidable et l'indécidable, entre le conditionnel et l'inconditionnel. Dès lors, il ne peut être que rebelle, partagé entre la colère de ce qu'il subit et l'espoir de l'existence libre, de la construction de soi – qui est sa préoccupation constante.

Pour lui, aujourd'hui, l'avenir est difficile, car chacun a l'obligation de choisir un avenir collectif. En principe, il est toujours possible d'abandonner sur le bord du chemin ceux qui ne peuvent pas suivre la marche en avant. Mais l'esprit du temps le refuse. Une exigence de solidarité est inscrite dans la manière même d'être au monde. D'où l'obligation réciproque universelle : celle faite à tous les humains d'aider tous les humains.

Quels « points d'ancrage » pour les jeunes adultes ? Je suis convaincu qu'il leur reste en mémoire certaines phrases qu'on a prononcées au détour d'une conversation et qui sont passées presque inaperçues sur l'instant. Même si on n'y pense plus, si d'autres pensées les submergent et si le temps passe, ce sont des phrases qui ne disparaissent pas. Soudain, elles resurgissent sous une lumière différente. Elles persistent et se révèlent porteuses de sens multiples, investies d'une portée inaperçue au premier abord. Une formule de Ralph W. Emerson est ainsi demeurée vive dans ma mémoire. Se demandant à lui-même pourquoi il ne tente pas de réaliser ses pensées, il répond : « Patience, patience. » En d'autres mots, si vous tenez à penser, préparez-vous à souffrir. Ou : pensez et demandez-vous avec qui vous pourriez le mieux supporter d'avoir tort, d'être contrarié, d'avoir à recommencer à zéro.

Le défi est lancé ! C'est au jeune adulte de recommencer, c'est-à-dire de se faire confiance dans le but de promouvoir de nouvelles approches, de nouvelles orientations, de nouvelles attitudes. La génération Y doit travailler, avec patience, *malgré les misères du présent.* Laisser à la stupeur le temps de trouver les mots. Ne pas se plaindre, ne pas tomber dans la chronique, ne pas tenir le registre de tout ce qui va mal, ne pas fixer chacune de ses impressions, ne pas thésauriser ses humeurs, mais déchiffrer chaque interpellation que lancent les circonstances. Penser sur le mode de l'implication et non pas de la bêtise. Préférer l'insistance de l'émotion à l'exhaustivité de la raison. Extraire les beaux moments du flot de l'actualité. Suspendre, pour cette opération, le partage de l'éminent et de l'anodin. Tenir les détails en haute estime. Ne pas prendre l'information pour le fait, pas plus que l'information embarrassante pour une construction malveillante. Se méfier de la méfiance autant que de la crédulité. Soupçonner le recours systématique au soupçon pour protéger l'intelligence des insolences de la réalité. Chercher la vérité dans ce qui apparaît et non derrière les apparences. Aller et venir entre ces deux fidélités : la rigueur et la facilité. S'interdire les indiscrétions ou les racontars, tout en empêchant les noms communs d'abolir les noms propres et de dissoudre dans le déjà-vu les actions ou les situations déconcertantes. Placer les idées générales sous la surveillance des cas particuliers. Confronter sans relâche la fatalité des processus à l'imprévisibilité de la conjoncture. Renoncer, pour interroger les événements, au désir de trouver des coupables qu'il a été permis de recevoir ou de rencontrer. Tels sont les principes que je vous invite, jeunes adultes, à mettre en œuvre tout au long des années de ce qu'il est convenu d'appeler le troisième millénaire.

Faire confiance et se faire confiance, deux processus qui font partie d'une même dialectique et qui convergent vers le même objectif : revoir ses certitudes et être suffisamment attentif à l'autre, sans s'abstenir des propos qui dérangent et qui conduisent, peut-être, à revoir ses propres choix. Au fond, faire confiance, c'est appliquer une hypothèse optimiste à une personne, sans certitude.

Ne plus avoir peur

Jeunes adultes, n'ayez plus peur ! On vous terrorisait en vous confrontant à des termes inconnus, sans vous donner les clefs pour les comprendre. On vous mettait en contact avec l'inépuisable nouveauté de ce qui est plus ancien que vous. On vous sommait d'honorer la réussite – mais quelle réussite au juste ? On a tout négocié avec vous pour s'approprier du temps à vos dépens. On a succombé à la facilité en délaissant la rigueur. On a tenté de tout banaliser, de tout accepter. On a eu recours à une foule d'opinions plutôt que de faire valoir le bon sens. On a oublié de vous dire non… N'ayez plus peur : ce cauchemar est terminé. C'est désormais à vous qu'il incombe d'homologuer vos savoirs et de répondre présent. Le rôle des adultes n'est pas de vous dresser ou de vous corriger, mais d'être dans l'action avec vous.

Sans aucune hésitation, dites aux générations précédentes : « Je ne suis pas normatif, je suis branché. Je ne prescris rien, je transcris. Et plutôt que de défendre hargneusement mon pré carré, j'accueille l'étranger à bras ouverts. Sous mes airs excentriques, il y a un cœur qui bat pour toutes les victimes de l'exclusion. Le purisme n'est pas ma tasse de thé, car je ne connais pas d'autre bon usage que l'usage, pas d'autre valeur que le mouvement, pas d'autre loi que celle de l'hospitalité, pas de réalisation ou d'engagement sans modèles, sans repères, sans orientation. Modèle, moi? Non: reflet. La société bouge, je me lâche aussi. Le monde change, je mute et je danse avec lui. *Qui* on est importe peu, c'est *ce qu'*on est qui compte de plus en plus. Alors, s'il vous plaît, un peu d'irrespect: cessez de me confondre avec ceux de la génération des baby-boomers ou de la génération X. Si ceux d'hier brandissent l'expérience et *l'ancienneté comme étendard de leurs compétences.* Je leur réponds: mes pages sont à la page et, quand j'en appelle à la revendication, ce n'est pas pour vous mortifier ou vous enchaîner au verbe, c'est, comme vous le voyez, pour donner le cachet de l'idéal à votre actualité sélective et exclusive. Mon parti, c'est la vie. Mon drapeau, c'est la différence. Mon camp, c'est celui de la jeunesse: j'ai choisi la liberté (l'innocence, la légèreté, l'insouciance), et j'ai mis les mots à l'heure des Droits de l'homme. »

Les yeux rivés sur la caméra, le jeune adulte tient ardemment à quitter le monde lourd de la *nécessité* pour celui, vertigineusement docile, de la *possibilité*. Je prie pour qu'il en soit ainsi. Et, contredisant la réputation que lui ont faite tant de parents, le rêve n'abolit pas l'ordre, mais le désordre existant.

La charge est féroce. Mais il est d'autant plus malaisé d'en contester la pertinence que, nonobstant sa promesse de rompre avec les propos excessifs et les engagements virevoltants d'adultes négligents, le jeune adulte lui-même a fourni, par ses observations, l'illustration spectaculaire de l'attitude qu'il dénonce.

Le jeune adulte doit réfléchir, *mettre pied à terre* et retrouver avec la réalité le contact perdu à force de grandes envolées ou de démagogie morale. Le jeune sait qu'on a tout saccagé pour améliorer la rentabilité. Comme la concurrence, tant pour le travail que pour les biens et les services, se joue sur les prix, le jeune adulte se pose déjà la question : la qualité de la vie humaine va-t-elle baisser avec la mondialisation ?

Désormais, dans le doute, l'abstention n'est plus de mise. L'incertitude a cessé de justifier l'inaction. Il est interdit de rester les bras croisés : la génération Y doit s'engager à tenter de comprendre, de transcender la peur et à trouver le courage d'affronter son propre destin. L'inconfort est inhérent à son désir de revendicateur. Pour elle, il est justifié de contester l'autorité, de subvertir les idées reçues et la vérité communément admise.

C'est de douceur que nous manquons. Mais il n'y a pas d'emploi pour la douceur sur une Terre exclusivement peuplée d'artefacts et de marchandises, où s'agite une humanité autiste s'affairant à réparer les dommages provoqués par sa suffisance et sa rupture avec le monde sensible. C'est à vous, les jeunes, de montrer que votre cœur est aux commandes, que le toucher peut prendre symboliquement la relève de la parole. Ce regard qui est le vôtre devra dépasser la simple dénonciation. Il est urgent de se rapprocher de l'autre, de saisir les nuances, de penser et de remercier.

Si cette manifestation du *nouveau regard* rencontre le succès qu'elle mérite, il faudra, l'année prochaine, recommencer l'aventure avec les mots « ailleurs », « espérance », « rire », ou bien, car le dictionnaire du bonheur n'a jamais été aussi foisonnant, avec les mots « bouger », « ensemble », « joie », « partage ». Une chose est sûre, ce ne sont pas l'« égoïsme », l'« indifférence » ou la « calomnie » qui doivent être proposés à la créativité des jeunes adultes. Ces mots sont trop patauds, trop lourds, trop disgracieux pour être admis dans le vocabulaire de cette nouvelle génération. Je vous implore, à la manière de Paul Claudel, d'étendre votre regard bien au-delà de la complaisance. J'insiste : votre regard, c'est-à-dire votre sensibilité, votre humanité, votre capacité à compatir et à vous mettre en colère.

On peut voir le sens moral comme une faculté mais, à proprement parler, c'est plutôt le point de rencontre, l'articulation entre deux facultés : la sensibilité et la raison. Le sens moral est la façon dont, au sein même de l'homme, l'être rationnel s'adresse à l'être sensible pour l'approuver ou le désapprouver, lui faire réaliser ce qu'il est.

L'ouverture à ce qui se passe est essentielle. Il faut rester sensible à la contingence de notre environnement, faire corps avec l'événement en réintroduisant dans sa dynamique de vie les composantes de l'affectivité, de l'émotion, de la créativité. La génération Y est issue de ces trois principes, et ils sont pour elle inséparables. Les employeurs, tout comme les parents, devront continuellement ajuster leurs propos en fonction de ces caractéristiques. L'indépendance d'esprit, expression si chère aux jeunes adultes, consiste à redevenir, à devenir ou à demeurer tout simplement le sujet de sa vie, en assumant avec lucidité les connexions avec l'événement. Ce faisant, il se dégage alors une autre vision du quotidien.

L'errance du jeune adulte ne vient pas de lui ; la vanité ne vient pas de lui ; la méchanceté ne vient pas de lui. En réalité, elles n'expriment que la faiblesse des adultes devant les causes extérieures. Dès qu'on ne gouverne plus ses pensées, l'errance est inévitable, elle est induite par le seul mouvement de la langue. Il n'est pas besoin de vouloir pour être triste, et ainsi se chercher des ennemis ou trouver des coupables. Il n'est pas besoin de vouloir pour se glorifier d'un éloge (tu peux atteindre n'importe quel but, si tu es prêt à ignorer à qui en revient le mérite) ou s'irriter d'un blâme. Toutes les fautes viennent de tomber.

Il n'y a point de volonté, d'aucune façon, chez ce jeune adulte qui remet tout en cause. S'en remettre à des opinions pour clarifier le moindre obstacle, c'est céder à la facilité et chercher refuge dans la complaisance. C'est alors qu'on prend le mauvais chemin qui consiste à vouloir être comme les autres. On suit une opinion comme une mode. On se dresse à juger comme le voisin. Le monde n'est pas un spectacle : à mesure qu'on veut le réduire à un spectacle, la réalité se retire et la pensée nous échappe.

Que cherche le jeune adulte ? Des idées pour son avenir. Il lui manque la réflexion ou, si on veut, la contemplation. Le jeune adulte offre toutes les marques de l'intelligence pratique : il est ingénieux, rusé, marqué d'expérience. Il lui manque le respect, ou peut-être la politesse, qui fait qu'on se retient d'agir. Enfin, il met sur pied un code à travers lequel, ensemble, les jeunes se forment une idée, d'ailleurs fausse, de ce qu'est la politesse. Le propre du jeune adulte est sans doute de se tromper en compagnie de ses pairs et de n'en point démordre aisément.

Il faudrait oser beaucoup, mais sans prétention, ce qui est difficile car la modestie ne commande rien. Ce qui permet de gagner la partie, c'est le courage, la vigilance, la dignité, toutes les formes que prend la volonté d'aller toujours plus loin au-delà du désir paresseux. Il en va de la politesse comme des autres valeurs : une fois usée, il faut la réévaluer.

L'admirable, c'est que deux jeunes adultes raisonnant entre eux et s'entretenant de perfection et d'idéal, ne libèrent jamais un seul moment de leur génie propre. Chacun d'eux donne des conseils à l'autre, et cela revient à dire : « Voilà comment j'aurais fait. » Mais, en même temps, chacun sait que ce qu'il conseille est nul pour l'autre. En réponse, le conseil est renvoyé au conseilleur, ce qui le résout à chercher par ses propres moyens. En somme, le jeune adulte doit faire une vérité de sa propre erreur, une indignation de sa colère et une générosité de son ambition.

L'exigence de porter un nouveau regard sur soi : cela signifie d'abord sortir de soi, se réjouir et s'étonner d'être si divers, se regarder agir, sentir son corps et suivre les états successifs de ses pensées. Bref, se quitter un peu, se retrouver, se reprendre dans une conscience réflexive qui est aussi une conscience vagabonde, une sorte de rêverie, de jeu d'associations, d'entre-deux, entre la rive des sens et celle de la raison. Et puis, sortir de chez soi : filer vers l'horizon, découvrir d'autres contrées, abandonner le confort rassurant des habitudes, car cela permet de déshabituer ses idées, de déplier des questions enfouies sous des convictions illusoires. Ce qui caractérise ces jeunes adultes, c'est une immense curiosité pour toutes les formes de civilités, la fraîcheur d'un désir de rencontre.

Regarder, c'est douter

Le jeune adulte ne croit pas tellement à ce qu'il voit. J'irais même jusqu'à dire qu'il n'y croit pas du tout et que cette incrédulité même suppose de regarder, car regarder, c'est douter. Tout nous trompe, et nous ne cessons pas de démêler les apparences. Je présume que le jeune adulte qui constate est un jeune qui doute. J'entends ici « qui doute en action », c'est-à-dire qui explore. Voyez comme la jeunesse voudrait faire le tour du monde, toucher et palper ce qu'elle voit, comment elle change de poste d'observation autant qu'elle le peut afin de diversifier les perspectives. La génération Y n'est pas crédule et ne le sera jamais.

Penser, réduire l'erreur, calmer les passions, c'est justement vouloir, et vaincre la nécessité aveugle en même temps qu'on la définit. Je sais qu'il y a plus d'un piège, et il arrive que le jeune adulte qui a reçu des idées matérialistes sans les avoir créées lui-même, est souvent écrasé à son tour et mécanisé par le flux des apparences.

Faire et non subir, tel est le fond de l'agréable. Ainsi, en toutes choses, il faut apprendre à être heureux. On dit que le bonheur nous fuit toujours. C'est vrai du bonheur reçu, parce que le bonheur reçu n'existe pas. Toutefois, le bonheur qu'on se fait ne trompe pas. Plus on sait, plus on est capable d'apprendre. D'où le plaisir d'être curieux, qui n'a pas de fin, mais s'augmente des rencontres imprévues. Encore une fois, non point subir, mais agir.

Ce que veulent les adultes, ce n'est pas tant la connaissance que la certitude. À l'inverse, ce que veulent les jeunes adultes, ce n'est pas tant la certitude que la connaissance. Le talent ne fait qu'indiquer la profondeur du caractère. Il ne suffit pas d'être bon joueur, il faut être beau joueur. Le propre de tout jeune adulte est d'accepter la part de hasard et d'aléas qui s'ajoute au talent.

Nous nous trompons lourdement si nous n'invitons pas les jeunes à lutter contre cette indifférence, à renverser le renversement. Si nous ne leur proposons que le travail, nous serons perdants à la longue. On devient vite un piètre travailleur quand on fait du travail un absolu. Il ne faut surtout pas substituer la motivation à l'inspiration.

Le mot « nécessaire » a un sens abstrait qui nous échappe. Mais son sens usuel nous rappelle combien la nécessité nous tient. Prenons, par exemple, la caméra, l'ordinateur, le cellulaire. Il n'y a que des fils, des récepteurs si entremêlés dans une cloison que le cerveau, à lui seul, n'arrive plus à dissocier la nouveauté de l'essentiel. Ces liens avec des puces électroniques sont-ils si nécessaires? La question se pose sans délai. Ces puces alimentent copieusement un seul circuit, celui de la rapidité. La vitesse nous ruine et nous aveugle. Le bruit constant de ces objets infinis m'effraie. Est-il indispensable d'être partout en même temps, de brûler d'envie de répondre à tous les courriels, à toutes les sonneries, à tous ces marchands désireux que tout le monde soit obnubilé par leurs pensées? Est-ce la peur d'être oublié, voire rejeté, qui crée une telle emprise? La génération X n'a pas su doser, elle s'est enfermée dans un cocooning désespéré au point de ne plus vouloir sortir, de ne plus vouloir agir en personne, et de ne plus le faire que par l'entremise d'accessoires – achat sur Internet, cellulaire, cinéma maison.

Nous savons très bien ce que nous avons décidé d'acheter, mais nous ne comprenons pas le mécanisme par lequel nous avons nous-mêmes contribué, par consentement ou simplement par défaut de résistance, à défigurer au fil des ans notre propre lieu de vie. Il est essentiel de saisir cette contradiction consommateur/citoyen pour comprendre les difficultés qu'éprouvent aujourd'hui ceux qui veulent reconstruire un mouvement critique efficace contre les dérives de la «modernité compulsive». C'est à vous de refuser d'acheter une marque dont vous savez qu'elle est une source de délocalisations ou de licenciements. À vous de chercher autre chose que la pure consommation et de rester attentifs à la quête d'identité. La consommation occulte et recouvre si bien toute autre appréhension de la réalité que le simple bonjour de quelqu'un passe trop souvent inaperçu. C'est aux jeunes adultes qu'il revient de réagir *activement* contre les mécanismes produisant des effets pervers. Seuls les jeunes, à condition qu'ils se concertent, ont la possibilité de corriger ces mécanismes.

188

Je vous prie, vous qui appartenez à la génération Y, vous qui êtes notre avenir déjà à l'œuvre, je vous prie de ne pas saluer comme un progrès de la civilisation l'entrée de l'existence tout entière dans la sphère de la consommation. Vous devez, dans tous les cas, vous demander où l'homme, enclin et encouragé à confondre désir et responsabilité, trouvera les ressources de la modération et du scrupule quand il s'apercevra que la Terre épuisée ne suffit plus à apaiser son appétit de convoitise. Dans la démocratie? Il est permis d'en douter quand on constate avec quel empressement l'humanité démocratique répond à l'appel de l'histoire.

Dans *Le Principe responsabilité* (Cerf, 1990), Hans Jonas écrit que « le naturel a été englouti par la sphère de l'artificiel ». La génération Y est donc devant un paradoxe insoutenable : plus il y a de manipulation, plus il y a de chaos. Le dérèglement croît avec le contrôle, et l'incertitude avec la rationalisation.

Par définition, le consommateur ne connaît pas, le plus souvent, les conséquences collectives de ses actes. Lorsqu'il en est conscient, il n'a pas nécessairement envie de modifier ses comportements, puisqu'il sait que son action personnelle n'aura qu'un effet marginal sur le résultat global. Et s'il est prêt à modifier son comportement, il n'a pas la possibilité de faire surgir l'« offre alternative » qui serait susceptible de le satisfaire à la fois comme consommateur et comme citoyen. En conséquence, une société se construisant sur une telle réaction des consommateurs est de moins en moins capable de se poser la question des finalités collectives.

Il en résulte une inquiétude perpétuelle, devant laquelle deux attitudes opposées se font jour : d'un côté, essayer d'éteindre en soi les désirs ou le moi qu'ils tenaillent ; de l'autre, s'efforcer de combler

189

ces désirs. L'Occident a manifestement opté pour la seconde attitude. Et la science moderne, depuis qu'elle a commencé de révolutionner les possibilités techniques, apporte un concours actif et permanent à cette entreprise. La pratique scientifique, à sa manière, suspend le conflit entre la pulsion et les interdits dictés par le « surmoi » social en dissolvant le champ de bataille. Cela étant, divers indices laissent penser que les structures psychologiques qui justifiaient ces analyses sont, à l'heure actuelle, en passe de se transformer. La pathologie psychique la plus répandue, et de loin, est la dépression, qui correspond non pas à un déchirement entre pulsions et interdits, culpabilité et frustration, mais, après l'affaiblissement des interdits et la nouvelle injonction sociale d'« être soi-même », de « saisir les opportunités », de « se réaliser », de « s'éclater », au découragement qui saisit le sujet quand l'objectif n'est pas atteint, à la misère interne engendrée par le sentiment de ne pas être à la hauteur. À ce type de découragement, la science propose des remèdes sous la forme de comprimés. La pratique scientifique, elle, n'apporte aucun soulagement au dépressif, ne serait-ce que parce qu'elle requiert une énergie dont il n'est plus capable.

Le jeune adulte subit des forces qui le dépassent et dont il surestime le mystère. Mais ce qu'il subit, il le domine à sa façon, en s'en donnant une explication. Il tente de satisfaire de multiples exigences, à commencer par celles des apparences du bon sens. Il saisit de plus en plus que l'orientation qu'il doit prendre n'est pas univoque.

Pour les générations précédentes, la permanence était attestée par la répétition ; pour les jeunes adultes, elle s'éprouve par le mouvement. Cette jeunesse bouge, elle pratique l'imprudence, elle ordonne, elle récapitule, elle revendique, elle trans-

forme les concepts, voire les orientations, en se lan-
çant sur des pistes encore inexplorées. Là où il n'y
avait qu'extorsion exercée aux dépens des êtres, la
nouvelle génération s'en remet à la transformation
des choses. De plus en plus, elle ne se satisfait pas de
voir les choses sous un angle unique – celui qu'on
voudrait lui imposer. Le nouveau regard qu'elle porte
sur les choses les transforme en les plaçant dans une
perspective inédite. Un regard sans cesse en mouvement, qui doute de ce qu'il voit pour mieux regarder,
interroge les questions pour mieux saisir les enjeux
qu'elles dissimulent. En quelque sorte, un défi éthique lancé à un monde qui oublie les conditions de
son épanouissement.

Conclusion

Nous ne sommes jamais tout à fait contemporains de notre présent. L'histoire avance masquée. Elle entre en scène en portant le masque de la scène précédente, et nous ne reconnaissons plus rien à la pièce à laquelle nous assistons. Il en va nécessairement de même lorsque nous nous interrogeons sur la succession des générations depuis le début du XXe siècle et, plus particulièrement, sur le devenir de la nouvelle génération, qu'on qualifie par commodité de «Y». Sa nature profonde est par essence insaisissable, irréductible aux généralisations et aux formules toutes faites, si séduisantes soient-elles lorsqu'on les formule.

Ce travail de questionnement a beau laisser un goût d'inachevé – mais le contraire aurait lieu de nous inquiéter –, il n'en reste pas moins essentiel pour garder les yeux ouverts sur l'émergence des possibles. Répondre à autrui, c'est déjà répondre de lui, écrivait en substance le philosophe français Emmanuel Lévinas (1906-1995). Les esquisses de réponses que nous avons apportées au sujet de la génération Y doivent être entendues dans les deux sens du mot «répondre».

S'il est une question que nous pose la génération Y, ce pourrait être celle-ci: «Comment devenir soi dans un monde qui s'emploie à confondre les êtres et les choses, l'être et l'avoir?» Les obstacles à la «création» de soi en tant que sujet pensant et

193

agissant sont légion : autoritarisme, ignorance, isolement, etc. Tous, nous en sommes affectés, et certains plus durement que d'autres. Simultanément, ces obstacles sont renforcés par l'éducation et les valeurs dominantes qui tendent à assigner à chacun une place bien définie et à l'intégrer dans un système social sur lequel il ne peut exercer d'influence.

Ironiquement, nous vivons à une époque qui revendique la «recherche de soi», et parfois même, comble du paradoxe, l'exige de nous. Il va sans dire qu'il y a un hiatus formidable entre ce mot d'ordre et la réalité à laquelle nous faisons face. Ce nouvel univers est certes dominé par la recherche de soi, mais il la réduit trop souvent à la recherche d'un bien-être individuel, généralement d'ordre matériel, qui se traduit par un grave appauvrissement du souci de l'autre. En cette ère dévouée au cellulaire, à l'Internet haut débit et à l'impatience – les outils parfois illusoires de l'ouverture à l'autre –, les jeunes veulent tout, tout de suite. Dans ce monde de l'instantanéité, on néglige la nécessité de persévérer dans la patience, dans la confiance, dans l'effort. La conscience de l'autre – et par conséquent de soi – s'érode.

Pour reprendre les idées d'Amartya Sen (prix Nobel d'économie en 1998), ce qui compte, au-delà du bien-être, c'est la liberté d'être un *acteur*, ce qui suppose la transparence, l'inspiration, l'empathie et la capacité d'influencer ce qui nous entoure. Pour ma part, j'y ajouterai la liberté d'être un *auteur*, c'est-à-dire de créer, d'innover, d'aller au-delà des frontières quelles qu'elles soient, et un *spectateur*, autrement dit d'œuvrer en coulisses, d'observer et de reconnaître aux autres les mérites qui leur reviennent. Selon Amartya Sen, «ressentir de l'estime de soi», «paraître en public sans honte» ou «participer à la vie de sa communauté» sont autant de réalisations impor-

194

tantes, sans lesquelles une vie ne peut être tenue pour réussie.

En d'autres termes : « Deviens ce que tu es ! » Cette formule de Nietzsche traduit toute l'exigence de l'authenticité, mais aussi toute son ambiguïté. D'un côté, il y a le souci de la réalisation de soi, une notion si chère à la génération Y, la quête de l'épanouissement ; de l'autre, il y a l'abolition de toutes les limites, le rejet de toutes les normes extérieures. D'un côté, la recherche inquiète de son identité ; de l'autre, le refus sceptique, indifférent ou blasé, de toute forme d'altérité ou de transcendance. D'un côté, la revendication de l'originalité et de la singularité ; de l'autre, le risque constant de l'ignorance et de l'insignifiance.

On le voit, le meilleur côtoie constamment le pire. L'authenticité est décidément une notion délicate à utiliser. Comme l'écrivait le sociologue américain Daniel Bell, « la psychologie a remplacé la morale et l'anxiété a pris la place de la culpabilité ». Inutile d'insister outre mesure sur les difficultés que présente la notion d'authenticité : alors qu'elle vise la recherche de l'originalité à tout prix, elle produit souvent un conformisme aussi plat que pauvre. Chacun aspire à être soi-même, mais chacun finit par être identique aux autres. Là encore, on assiste à un phénomène d'érosion, dont témoignent entre autres les effets de la mode.

Cela signifie-t-il que la quête de l'authenticité est vouée à l'échec ? Ce serait une conclusion hâtive, à laquelle je ne saurais souscrire. « On ne comprend absolument rien à la civilisation moderne si l'on n'admet pas d'abord qu'elle est une conspiration universelle contre toute espèce de vie intérieure », écrivait Georges Bernanos dès 1947 (*La France contre les robots*). La nouvelle génération n'a peut-être pas lu ce grand écrivain français, mais elle l'a néanmoins pris au mot et lutte clandestinement pour un idéal… Une lutte émouvante. Une lutte contre le monde qui les pourchasse en sourdine et contre lequel ils font corps et sont solidaires, parfois même sans en être totalement conscients. Et toutes les revendications des jeunes adultes – face à des notions telles que la performance, la sécurité et la stabilité – me procurent ce plaisir incommensurable de croire en eux. « Hélas ! la liberté n'est pourtant qu'en vous, imbéciles ! », poursuit Bernanos. Un propos que la génération millénaire a repris à son compte.

J'ai parfois le sentiment que les jeunes adultes seront les premiers à ramener le juste équilibre entre les contraires, par exemple entre la vie familiale et la vie professionnelle, à proposer d'autres solutions, ne serait-ce qu'en matière de sécurité d'emploi, à réagir au rythme effréné qui a marqué les générations précédentes, et surtout à se faire confiance. Je les invite à rester ouverts au vulnérable, à l'inconnu, à l'émotion. À faire assez confiance à l'inconnu pour lui donner une chance de remettre en cause les certitudes les plus ancrées. À rester ouverts au risque de voir leurs propres pensées bouleversées, renversées, peut-être détruites.

À y regarder de plus près, ce risque en est-il vraiment un ? Chaque jour, le jeune adulte est d'une nouveauté telle qu'il détruit celui qu'il était la veille, et donc ceux que nous étions. Mais l'authenticité ne passe-t-elle pas également par l'acceptation de la fragilité ? Car, oui, sous ses airs parfois insolents, le jeune adulte porte en lui une forme de fragilité. Il pleure, mais n'a-t-il pas des yeux ? Et n'a-t-il pas aussi des mains, des sens, des inclinations, des passions ? Ne se nourrit-il pas tout comme un père, comme une mère ? N'est-il pas blessé par les mêmes reproches, glacé par les mêmes absences de repères, brûlé par les mêmes attentes? Il sait qu'il ne peut compter que sur lui, mais qu'il ne peut rien sans les autres. C'est donc, à chaque fois, en faisant preuve d'une résolution volontaire et stoïque, et en s'imposant la rigueur, voire la discipline, que le jeune adulte pourra se sauver de sa fragilité en l'assumant. Lui seul, par son travail de critique minutieuse, a la capacité de déverrouiller les systèmes de certitudes. Il y a certes une différence considérable entre la capacité et la possibilité de faire quelque chose – on ne peut confondre l'un et l'autre.

Telle qu'elle se dessine, cette nouvelle génération semble rechercher un «juste milieu», une nouvelle forme d'équilibre entre la revalorisation de l'effort et de l'autorité, d'une part, et son contrepoids, la recherche d'humanité et de tolérance, d'autre part. La révolution comportementale qui s'annonce ne sera pas complète sans l'émergence d'un nouveau sens du collectif. Le repli individuel et identitaire est un sous-produit de la société de l'opinion. Or, seule une dynamique collective peut définitivement faire naître la société des morales. En vérité, le jeune adulte sait fort bien que l'amour du *moi* se révèle très rapidement être une futilité, un fade néant, qui ne l'aide en rien à accomplir ce qui lui tient vraiment et uniquement à cœur: lui-même et son œuvre. Le jeune adulte a beau souffrir de ce que le *moi* ne puisse s'assouvir réellement, il ne s'en résout pas moins, vite et obstinément, à l'instrumentaliser, que ce soit de façon narcissique ou par la voie de la sublimation. Dès lors, on pourrait le soupçonner de ne s'être exposé aux tourments de parents affolés que parce que les refus qu'il a désespérément essuyés donnent des ailes à ses véritables passions.

La génération Y est le lieu d'un changement culturel profond. Notre environnement idéologique constitue un champ de forces qui infléchit dans le sens de la conformité jusqu'aux doctrines qui ont de tout autres visées. Pour les jeunes adultes, le monde ne se réduit pas à un ensemble d'objets qui nous sont destinés, mais nous impose d'autres exigences. Et ces exigences, qui se rattachent à ce que nous sommes en tant qu'êtres de langage, ne se limitent pas à l'accomplissement de soi. Elles émanent du monde. Il est difficile d'être clair en ce domaine, justement parce que nous sommes pris dans le langage des résonances personnelles. Gœthe soutenait que « la nature humaine sait qu'elle fait un avec le monde. L'humanité peut être assurée que le monde extérieur répond comme un contrepoids aux sensations du monde intérieur. » Dans l'esprit d'un jeune adulte, l'expression de soi peut, par conséquent, être en harmonie avec l'esprit des choses, favoriser sa révélation.

C'est aussi en cela que réside le sens de la responsabilité, qui permet la rencontre et l'ouverture. La responsabilité commence à la porte de chez soi. La responsabilité est présente dans chaque pas accompli avec conscience. « Il faut transformer en conscience le plus d'expérience possible », nous enjoignait Malraux : telle est la clef que devra s'approprier la nouvelle génération. Comme l'écrit splendidement saint Augustin : « Les gens voyagent et s'émerveillent de la hauteur des montagnes, des grandes vagues de la mer, du cours des rivières, de la vastitude des océans, du mouvement des étoiles ; et ils passent à côté d'eux-mêmes et des autres sans s'émerveiller. »

Le jeune se réveille chaque jour comme sur une île déserte. La nuit le prive de ses références, de ses repères, presque de son identité. Il cherche à se situer dans le monde ; il est pareil à un point sur un plan qui aurait perdu ses coordonnées. Il prend son clavier, il va écrire à un inconnu. C'est encore avec lui qu'il partage les trois quarts des choses. Cette nouvelle génération ne veut ni singer les adultes ni s'opposer à eux. Elle se situe ailleurs, tout simplement. Elle ne néglige pas pour autant les notions élémentaires de la psychologie : dans un univers de performance, le jeune adulte aura su tisser en quelques années un réseau indispensable à sa réussite, séduisant parents et employeurs, sachant s'appuyer sur ceux qui font et défont toujours les rois.

« Quel mur s'impose donc toujours entre les êtres humains et leur désir le plus intime, leur effroyable volonté de bonheur... Est-ce une nostalgie cultivée depuis l'enfance ? » demande Françoise Sagan dans *La Garde du cœur* (Julliard, 1992). Rester enfant ou devenir adulte... Cette alternative cache quelque chose : une impatience du lendemain, des rêves de fondation, des curiosités ou des colères véritables, celles qui *engagent*. L'enfant, notre source d'inspiration ; rester l'œil collé sur ces trois mots : « enfant », « source », « inspiration ». Il faut briser l'écaille des mots, sonder leur histoire et leur évolution, car c'est une source de pistes fertiles. Pour moi, le sens premier du mot « enfant » renvoie à « exploration » ; et le mot « source », à une merveilleuse image de la vie et de la pureté originelle, car il désigne « l'endroit où un cours d'eau prend naissance ». Enfin, le mot « inspiration » : on ne peut trouver de mot plus juste pour parler d'éducation. *Inspirare*, c'est « souffler dans », c'est « communiquer, insuffler, être en vie ».

Pour devenir adulte, l'enfant a donc besoin d'un programme qui n'est pas inné, mais qu'il est capable de recevoir à certaines conditions. Ce que la « nature » n'a pas donné, il appartient d'abord aux parents de le transmettre. Il s'ensuit que le premier don que doit recevoir l'enfant est celui de l'amour inconditionnel de ses parents. C'est dans les caresses, dans les yeux admiratifs et dans les étreintes que l'enfant prend conscience qu'il existe pour un autre, à qui il donne du bonheur, et donc qu'il existe bien lui-même. Vient progressivement, avec lenteur, l'inculcation de la culture. Il faut donc que l'enfant adopte, au fil de ses besoins, les règles particulières qui, dans la société où il vit, sont celles, précises, de l'échange et de la solidarité. L'enfant se trouve ainsi au centre d'un jeu complexe de rééquilibrage des influences.

Pour le dire autrement, c'est dans l'espace de l'enfance qu'on apprend à contrôler sa spontanéité et donc sa réaction au présent. L'enfance est une période moratoire. C'est l'époque où il faut prendre conscience de ses goûts et de ses capacités. C'est, en quelque sorte, un brouillon, souvent repris, de ce que sera l'âge adulte.

Références bibliographiques

ALLAIN, Carol. *Enfant-roi. « Tout, tout de suite ! »*, Éditions Logiques, Montréal, 2001.

ALLAIN, Carol. *Être soi dans un monde difficile*, Éditions de l'Homme, Montréal, 2005.

ARIÈS, Philippe. *L'Enfant et la Vie familiale sous l'Ancien Régime*, Éditions du Seuil, Paris, 1973.

BACHELARD, Georges. *Figures de la publicité, figures du monde*, Éditions Denoël, Paris, 1979.

BAILLARGEON, Claude. *Modernité et liberté*, Éditions du Boréal, Montréal, 2006.

BATAILLE, Georges. *La Part maudite*, Éditions de Minuit, Paris, 1967.

BATAILLE, Georges. *L'Expérience intérieure*, Éditions Gallimard, Paris, 1943.

BAUMAN, Zygmunt. *La Société assiégée*, Le Rouergue/Chambon, Rodez, 2005.

BAWIN-LEGROS, Bernadette. *Génération désenchantée*, Éditions Payot, Paris, 2006.

BERTRAND, Yves. *Le Jardin intérieur*, Éditions Liber, Montréal, 2004.

BIZIOU, Michaël. *Shaftesbury. Le sens moral*, PUF, Paris, 2005.

BOTTON, Alain de. *Du statut social*, Éditions Mercure de France, Paris, 2004.

BRIGHELLI, Jean-Paul. *La Fabrique du crétin*, Jean-Claude Gasewitch Éditeur, Paris, 2005.

DANIEL, Jean. *Avec Camus. Comment résister à l'air du temps*, Éditions Gallimard, Paris, 2006.

DESCHAVANNE, Éric, et TAVOILLOT, Pierre-Henri. *Philosophie des âges de la vie*, Éditions Grasset et Fasquelle, Paris, 2007.

FOOT, David K. *Entre le boom et l'écho*, Éditions du Boréal, Montréal, 1996.

GAUCHET, Marcel, *La Crise du libéralisme*, Éditions Gallimard, Paris, 2007.

GAUCHET, Marcel. *La Révolution moderne*, Éditions Gallimard, Paris, 2007.

GAUCHET, Marcel. *Le Désenchantement du monde*, Éditions Gallimard, Paris, 1985.

GIRARD, Jean Pierre. *Le Tremblé du sens*, Éditions VLB, Montréal, 2005.

GUILLEBAUD, Jean-Claude. *Le Goût de l'avenir*, Éditions du Seuil, Paris, 2003.

JAVEAU, Claude. *Les Paradoxes de la modernité*, PUF, Paris, 2007.

JEAMBAR, Denis, et REMY, Jacqueline. *Nos enfants nous haïront*, Éditions du Seuil, Paris, 2006.

JEFFREY, Denis, LE BRETON, David, et LÉVY, Joseph Josy. *Jeunesse à risque*, Presses de l'Université Laval, Québec, 2005.

JULLIEN, François. *Nourrir sa vie à l'écart du bonheur*, Éditions du Seuil, Paris, 2005.

KLEIN, Étienne. *Le facteur temps ne sonne jamais deux fois*, Éditions Flammarion, Paris, 2007.

KLEIN, Stephan. *Apprendre à être heureux*, Éditions Robert Laffont, Paris, 2005.

KUNDERA, Milan. *Le Rideau*, Éditions Gallimard, Paris, 2005.

LAPIERRE, Nicole. *Pensons ailleurs*, Éditions Stock, Paris, 2004.

LASCH, Christopher. *La Culture du narcissisme*, Éditions Climats, Paris, 2000.

LIPOVETSKY, Gilles. *Le Bonheur paradoxal*, Éditions Gallimard, Paris, 2006.

MAFFESOLI, Michel. *La Part du diable*, Éditions Flammarion, Paris, 2002.

MICHÉA, Jean-Claude. *L'Empire du moindre mal*, Éditions Climats, Paris, 2007.

MURAY, Philippe. *Moderne contre moderne*, Les Belles Lettres, Paris, 2005.

PAUCHANT, Thierry C. et autres. *Pour un management éthique et spirituel : défis, cas, outils et questions*, Éditions Fides – Presses des Hautes Études commerciales, Montréal, 2000.

PENNAC, Daniel. *Chagrin d'école*, Éditions Gallimard, Paris, 2007.

PETRELLA, Riccardo, *Désir et humanité. Le droit de rêver*, Éditions Écosociété, Paris, 2004.

PIOTTE, Jean-Marc. *Les Grands Penseurs du monde occidental*, Éditions Fides, Montréal, 1997.

POLONY, Natacha. *Nos enfants gâchés*, Éditions JC Lattès, Paris, 2005.

POSTMAN, Neil. *Il n'y a plus d'enfance*, Éditions Insep, Paris, 1983.

QUIGNARD, Pascal. *Les Ombres errantes*, Éditions Grasset, Paris, 2002.

REY, Olivier. *Une folle solitude*, Éditions du Seuil, Paris, 2006.

ROUSSEL, Louis. *L'Enfance oubliée*, Éditions Odile Jacob, Paris, 2001.

ROUSTANG, François. *Il suffit d'un geste*, Éditions Odile Jacob, Paris, 2003.

SKINNER, B. F. *Science et comportement humain*, Éditions In Press, Paris, 2005.

SLOTERDIJK, Peter. *Le Palais de cristal*, Maren Sell Éditeurs, Paris, 20

SMEDT, Marc de. *Éloge du bon sens*, Éditions Albin Michel, Paris, 1993.

TAYLOR, Charles. *Les Sources du moi*, Éditions du Seuil, Paris, 1998.

TOURAINE, Alain. *Un nouveau paradigme*, Éditions Fayard, Paris, 2005.

WOLTON, Dominique. *Il faut sauver la communication*, Éditions Flammarion, Paris, 2005.

ZARIFIAN, Édouard. *Le Goût de vivre*, Éditions Odile Jacob, Paris, 2005.

Ouvrage à paraître

La Génération Z – Dépêche-toi, débrouille-toi (1996 – à déterminer)

Plusieurs étiquettes sont déjà attribuées à cette génération : « génération spontanée », « génération pub », « génération ego casting », « génération sans affiliation », « génération en un clic ». Le titre évoque l'urgence de saisir toute la frénésie entourant la rapidité avec laquelle la nouvelle génération devra s'accommoder.

Qui sont-ils ? Ces nouveaux enfants demeurent pour le moment un mystère. Mais reste à parier qu'ils suivront les traces de la génération précédente d'autant plus qu'ils n'ont eux aussi que des accessoires pour s'exprimer. Branchés à des réseaux de communication... cinéphiles avertis, chacun son rythme et chacun ses goûts ! « Et si le programme télé n'est pas particulièrement séduisant ce soir, pourquoi ne pas s'en fabriquer un sur mesure, quitte à le visionner sur l'écran de son ordinateur. »

Génération née d'une culture de la chambre... Il est indispensable, pour eux, « de se connecter à des amis », ce qui peut paraître élémentaire. Télécharger, visionner, sélectionner, voilà l'entrée en matière de la génération Zoom (« à la carte »). Tout cet engouement pour l'œil ne donne, hélas, que peu de disponibilité ou d'empressement pour les amusements à l'extérieur. Avons-nous tort de nous inquiéter ? Oui, je crois, toute la société des sciences a négligemment instauré cette fâcheuse réalité d'un enfant qui ne bouge plus ou peu.

Nous pouvons aussi leur attribuer le qualificatif de l'ego casting, c'est-à-dire la possibilité via la technologie de faire venir le monde à soi, où que l'on soit, à n'importe quel moment. Également, ils se démarqueront par la façon de faire plier le monde à leurs exigences personnelles. Tel sera le synonyme de cette nouvelle génération ayant comme emblématique cette nouvelle tendance à organiser le monde selon ses préférences personnelles.

Leurs attributs essentiels seront un lien strictement Internet, la fidélité tenace aux fantasmes virtuels et, pour finir, l'image réelle d'un jeune enfant vivace, orageux, passionné, capable de joie éperdue, de jalousie extrême, de tourments imaginés... L'avenir leur sera plus difficile à déchiffrer, l'horizon rendu indistinct par la multiplicité des possibles.

Vidéo, écran interactif, Internet, réalité virtuelle : l'interactivité est à son comble. Partout, ce qui était séparé est confondu, partout est abolie la distance : entre les sexes, entre les pôles opposés, entre les protagonistes de l'action, entre le sujet et l'objet, entre le réel et son double. Ils enfilent leur propre vie comme une combinaison digitale. « Vous l'avez rêvé, nous l'avons fait. » L'empire du sens a été remplacé par l'empire des signes. Ils ont fait depuis longtemps (presque dès la naissance) leur deuil de la réalité. Ils sont passés corps et âme du côté du spectaculaire.

Soucieux à l'extrême de leur apparence, parallèlement, remplis d'odeurs, de gestes, de saveurs, de rires et de peurs... Ce qui me plaît à observer, c'est que personne ne pourra se les annexer, bien qu'on s'y essaie. Las de parler à des parents volages, ces enfants se mobilisent à travers la carte virtuelle et ont décidé de créer des liens avec un monde étranger. Leurs influences seront multiples, c'est-à-dire qu'ils verront aussi bien à modifier leur prénom qu'ils ne manifesteront aucun intérêt pour les propos de leurs parents en éprouvant du plaisir à échanger leurs accessoires, à faire l'achat de produits inédits… À la différence de la génération Y, la génération Z n'attendra pas d'être arrivée à l'adolescence pour exprimer ses besoins, elle le fera dès l'âge de six ou huit ans. Que l'idée même d'une vie normale est peut-être hautement anormale, en tout cas exceptionnel, et qu'il ne restera peut-être pas grand-chose de ce que les parents tenteront de leur transmettre.

Leur mission, faire de l'exotisme pour insuffler une façade, avec des couleurs, des discours interminables sur leur voyeurisme dévorant cherchant à montrer leur corps. Ils vivent à une époque où nous pouvons discuter de tout. À une exception près : la responsabilité. Elle est là, c'est une donnée acquise. Or il faudrait engager un débat, un grand débat mondial, avant qu'il ne soit trop tard, sur la responsabilisation.

Ce n'est pas la conscience de leurs parents qui détermine leur être ; c'est inversement leur être social qui détermine leur conscience. Tout ou presque se joue avec le lien social établi avec l'autre, le regard de l'autre, celui établi à partir de rencontres virtuelles. Pourtant, nous savons tous que voir ne veut pas dire comprendre, entendre ne veut pas dire comprendre, avoir des informations séduisantes ne veut pas dire comprendre.

Le désir de faire savoir le murmure à sa manière. Nous avons prétendu œuvrer pour le bonheur de la génération Y en leur octroyant toute l'attention à leur demande (une attitude permissive) ; qu'en sera-t-il des enfants de la nouvelle génération ?

Cet ouvrage a été composé en ITC New Baskerville Std 12/14
et achevé d'imprimer en mars 2008 sur les presses de
Quebecor World Saint-Romuald, Canada.

Imprimé sur du papier Quebecor Enviro 100 % postconsommation,
traité sans chlore, accrédité Éco-Logo et fait à partir de biogaz.

certifié   procédé   100 % post-   archives   énergie
             sans   consommation   permanentes   biogaz
             chlore